KB158263

그리운 노래는 가슴에 묻고

오태영 시집

그리운 노래는 가슴에 묻고
인　쇄 : 2021년 1월 10일 초판 1쇄
발　행 : 2021년 6월 10일 개정판 1쇄
지은이 : 오태영
펴낸이 : 오태영
출판사 : 진달래
신고 번호 : 제25100-2020-000085호
신고 일자 : 2020.10.29
주　소 : 서울시 구로구 부일로 985, 101호
전　화 : 02-2688-1561
팩　스 : 0504-200-1561
이메일 : 5morning@naver.com
인쇄소 : TECH D & P(마포구)

값 : 11,000원
ISBN : 979-11-972924-4-6
CIP　2020055159

그리운 노래는 가슴에 묻고

오태영 시집

진달래 출판사

2021년 철원 은하수교에서

기도하니

오태영

살다보면 혼자인데
기도하니 하나님이 함께 하셨네.

살다보면 가진 것 하나 없는데
기도하니 저 천국이 나의 것이네.

살다보면 아프기만 한데
기도하니 어느덧 마음에 평안이 넘치네.

살다보면 사방이 막혀 있는데
기도하니 하늘문이 활짝 열려 있네.

살다보면 살 길이 막막한데
기도하니 일용할 생활이 넘치네.

살다보면 내가 한 것 같은데
돌아보니 모든 것을 주님이 하셨네.

오, 주여 그저 감사합니다.

시인은 1966년 전남 장흥 출생으로 서울 영동고를
졸업하고 한양대 건축학과, 한국방송통신대 법학과,
서울시립대학교 도시 행정대학원에서 공부하였으며,
서울시청을 비롯하여 구청, 주민센터에서
30여 년의 공직 생활을 명예퇴직하고
제2의 인생을 시인, 작가, 번역가, 인생금융상담가,
진달래 출판사와 하우스 대표로 즐겁고 기쁘게 살고 있다.

축하의 글

마음의 평안과 위로를 갖는 시간

오연자 (일본 선교사)

2021년 새로운 한 해와 함께 한 권의 시집이 나왔습니다.
동생 오 태영 작가의 시집 출판을 축하합니다.
오랜 기간 근무했던 직장을 퇴직하고 이제는 제2의 인생을 시작한 동생이 그동안 틈틈이 적어간 시를 한데 묶어서 시집을 내게 되었습니다.
우리는 기적과 같은 하루하루를 살아갑니다.
그 감동을 작가의 글을 통해 같이 맛보고 느낄 수 있으면 좋겠습니다.
한 번 태어나는 삶 속에서 피로 연결된 가족으로 만나서
지금까지 많은 시간을 같이 나누었습니다.
귀한 인연으로 만나서 많은 사랑과 도움을 받은 동생에게
이 지면을 빌어서 감사와 고마움을 전하고 싶습니다.
신앙생활에도 가정과 사회생활에서도 늘 사랑받고
가족과 친척 사이에서도 늘 존경받고 의지할 수 있는
존재가 되어주길 바라는 마음입니다.
전 세계를 죽음의 공포로 몰고 간 코로나 19가
이제는 점차 사라져 가고 있습니다.
부디 너무나 절실하게 다가오는 평범한 일상을
다시 살아갈 수 있는 시간이 되길 간절히 소망합니다.
그리고 이 한 권의 시집을 통해 한 편의 시를 읽으며
마음의 평안과 위로를 갖는 시간이 되길 바랍니다.

목 차

2000년대

알 수 없는 시기

프롤로그

책을 좋아하면서 시를 짓기도 하고, 많은 논문을 써 왔습니다. 책을 읽고 독후감도 내 생각도 서로 나눈다는 것은 참 멋진 일입니다.

직장 생활 초년기부터 조금씩 써 온 글들을 모아 시집을 내기로 마음먹었지만, 차일피일 미루다가 어느새 20년이 훌쩍 지났습니다. 집을 정리하며 손으로 쓴 원고들을 찾고 이번 기회에 정성스럽게 모아 작은 시집을 처음이자 마지막이라는 생각으로 펴냅니다.

그동안 서평, 신문기사 원고, 각종 수필 등을 모아 여러 책을 냈지만, 시집은 처음이라 가슴이 떨리지만, 기억을 더듬어 언제 썼는지를 생각나는 대로 적어 그때의 나를 돌아보고 시대를 추억하며 시의 파토스(pathos)를 나누고 싶습니다.

제게 아낌없는 기도로 사랑해주신 윤석전 담임목사님과 모친을 비롯한 가족, 친지 모두에게 감사드리며 이 책을 쓰도록 이끄신 하나님께만 모든 영광을 올려 드립니다.

2021.6 수정재에서
오 태영

마음

일곱 줄기 무지개가 되어다오.

비의 암흑에서
너무나 지쳐버린 마음이
진정 바라는 그대로

소리 없는 바람이 되어다오.

불볕더위의 구렁에서
몸부림치며 매달리는 마음이
진정 바라는 그대로

일곱 줄기 무지개여!
소리 없는 바람이여!
그대는 진정 마음에 꼭 필요한 친구가 아니겠는가?

1980년 7월 12일

삶이라는 터널을 지나 보면 삶이 얼마나 소중한지 느낍니다. 달란트를 땅에 묻은 채 멋대로 살아온 인생을 돌아보면 후회뿐입니다. 자기 달란트를 찾아야 합니다. 자기 달란트를 알아야 합니다.

봄빛

화사한 그대가
나의 메마른 머리 위로
화사한 그대가
나의 차가운 마음 위로

모두 비춰 주었지요
나는 고마웠어요.

나의 메마른 머리가
인정을 간절히 구하게 되었지요.
나의 차가운 마음이
사랑을 원하게 되었지요.

나는 다시 한번
그대를 바라보았습니다.

그대는 참으로 나의 뜨거운 마음을
뜨겁게 뜨겁게 만들었지요.

나는 그대들 잊지 않으렵니다.
나를 다시 만든 그대를
영원히 잊지 않으렵니다.

1981년 3월 2일

우연히 만나는 모든 이들이

세상 살아가다 보면
나만이 사는 것이 아니다.

모두가 잘난 모습
귀중한 자녀들인 것을

나와 함께 한 모두에게 잘 한다는 것이
약간은 모순인 것 같다.

세월의 강물이 굽이쳐 흘러
작은 시내, 개울이 어울려 도는데

큰 산 작은 산 그만그만한 봉우리들이
한데 얼려 아름다운 조화 만든다.

길을 걷다 우연히 만난 모든 우리에게
또 다른 나를 느낀다.

삶이 아름답지 않습니까?
그런 우리가 있기에

종교는 달라도 인종은 달라도
세계 안 곳곳에서 만나는 우리

일터는 달라도 성별은 있어도
한 하늘 아래 햇볕을 받는 우리

우연히 만나는 모든 이들이
자꾸만 사랑스럽다.

슬픈 음악

내 맘과 같은 음악이 흐르고 있습니다.
그녀가 좋아하던 음악입니다.
너무 슬픈 가락입니다.

그녀와 듣던 음악이 이제는 그쳤습니다.
그녀가 영영 가버린 후 음악도 그친 겁니다.

아!
나는 그녀를 음악에 주고 온 것입니다.

1981년 3월 16일

검은 밤

실망을 머금은 가슴에
포근히 밀려오는 그대의 모습

희망을 품은 가슴에
기쁘게 감싸주는 그대의 모습

나는 너무도 연약했습니다.
그대의 어두움에

나는 너무도 기뻤습니다.
그대의 모습에

그대의 어둠은 불의를 몰랐고
그대의 모습은 실망을 몰랐습니다.

항상 내일을 위해
참고 전진하는 그대의 모습에
나는 너무도 연약했습니다.

1981년 3월 16일

사랑의 하나님

몸이 몹시 아팠습니다.
구석구석 마디 마디마다
한 군데도 빠뜨리지 않고 저를 괴롭혔습니다.

제 몸은 상한 갈대보다
꺼져가는 등불보다 더 비참했습니다.

저 자신을 한탄했습니다.
제 몸을 저주했습니다.

그러나, 저는 참을 수가 없었습니다.
하나님을 원망했습니다.

하나님! 하나님! 하나님!
당신의 사랑하는 자식이 병으로 신음하고 있습니다.
제 몸을 저주하고 있습니다.
한탄하고 있습니다.
아픔에 괴로워하고 있습니다.

기도를 드렸습니다.
제 몸을 사랑으로 감싸주시길 기다렸습니다.
그리고 참았습니다.

아! 당신은 저의 참 아버님이셨습니다.
병중의 저를 구하시려고 먼 길을 홀로 찾아오셨습니다.
몸소 발자국도 없이.

이제 저는 괴로워하지 않습니다.
제 몸을 한탄하지 않습니다.
저주하지 않습니다.
하나님께서 주신 제 작은 목숨 하나님을 위해 살겠습니다.

저는 사랑을 깨달았습니다.
믿음을, 소망을, 희망을, 참음을.

1981년 4월 11일

삶이 힘들고 어려울 때는 나를 괴롭히는 마귀를 바로 보고 인정하고 그와 영적 전쟁을 선포하고 기도해야 합니다. 기도를 통해 지난날 잘못을 회개하고 상대의 잘못을 용서하고 하나님의 은혜를 구하면 하나님이 기뻐하는 삶이 되리라고 생각합니다.
진짜 중요한 전쟁터는 기도의 자리입니다. 내가 기도에 승리하면 악한 영과 귀신이 쫓겨나고 삶이 변화됩니다. 연세중앙교회는 그런 면에서 볼 때 매일 밤 전쟁터에서 승리할 '전 성도 기도회'를 열고 기도하게 해 영적 승리를 안겨 줍니다. 우리 모두 영적인 전쟁에서 승리하기를 소망합니다.

부활(復活)

죄의 구렁이 보입니다.
악으로 뒤덮인 그 세계가
희망으로 향하던 마음이
갑자기 절망의 씨앗이 되었습니다.

죄의 구렁이 보입니다.
악으로 뒤덮인 그 세계가
선을 이루려는 행동이
갑자기 악의 뿌리가 되었습니다.

절망의 씨앗이, 악의 뿌리가.

그건 정말 순식간의 일이었습니다.
마음의 뜨거운 불이
차가운 얼음으로 된 것은

그건 정말 순식간의 일이었습니다.
착하기만 하던 행동이
악의 수호신처럼 된 것은
악의 수호신처럼

내 마음의 얼음이
점점 굳어지고 있을 때

하나님께서는 광명의 빛으로 저에게 오셨습니다.
뜨거운 광명의 빛으로

마음속은 불같은 뜨거움으로
어지럽게 타오르고 있습니다.
어지럽게만

아! 그것은 생의 몸부림, 삶의 고통이었습니다.
한순간 얼음이 녹으려는지
마음속은 참혹한 가시관의 고통이 있었습니다.

아! 정말 그것은 생의 몸부림,
삶의 고통이었습니다.
한순간의 고통은 녹아갔습니다.
광명의 뜨거운 빛으로

새 생명으로 돌아온 마음은
기쁘게 뛰놀았습니다.

참다운 자유로 돌아온 행동은
기쁘게 뛰놀았습니다.

다시 산 그 기쁨은
희망이요, 소망이요, 믿음입니다.

1981년 4월 28일

하늘

흰 구름 이는
저 산 너머
조그만 하늘이 내게 윙크하네.

수정같이 맑은 모양
환히 핀 채로
조그만 하늘이 내게 손짓하네.

사나운 먹구름
험한 바람에
마음은 찢기고
몸은 흩었으나

하늘의 의미를
품에 안은 채
저어 먼 희망으로 내게 미소짓네.

1981년 10월 8일

가을이라는 이름의 편지

가을이라는
이름의 편지가 왔다.

그 안에서
구슬이 내게 인사를 하고
낙엽이 내게 안부를 물었다.

상긋한 풀 냄새
향긋한 물소리
지치도록 붉어가는 나무의 옷에서

그는 정성들이
신비의 고향을 그렸다.

귀뚜라미 두 마리의
부드러운 노래가
그를 감돌며 메아리칠 때

가을이라는 이름의 편지는 점을 찍었다.

1982년 전남고등학교 백일장 우수상

절실한 자기

누군가를 기다린다고 하는 것은
마음속에 그리움을 심고 있기에
모든 것이 더욱 선하게 다가와 보인다.
누구를 만나야 할까?

같이 있다는 사실 하나만으로
웃음을 머금을 수 있다면
말 많은 현대에서
그저 보는 것만으로 기쁜 존재.

오늘 나를 찾아 떠날 때
그 누군가와 함께 가보자.
훨씬 실망치 않을 자신이 있다.

혼자만의 침잠은 무언가 슬픔을 주지만
기다림으로 만난 사람끼리는
서로가 절실한 자기
그때 더욱 진실한 자기를 본다.

1983년 11월 26일

하나에의 기원(祈願) I

내 그리움의 흔적을
이 터에 묻어
영원한 조국의 자양분으로
키우고 싶다.

별이 되어
푸른 하늘을 지키는
내 작은 사랑의 노래

한 걸음 한 걸음
쉼 없는 몸짓으로 건너가야 할
슬프디슬픈
우리들의 갈라진 조국!

충혈된 눈길로
한 서린 별을 잡고서
내지르는 물음

갈라져 서러운 피맺힌 조국아

이제는
목이 터지라 부르던 노래도 잊고서
망연히 시퍼런 하늘만 본다.

별들이 하나둘 저물 때마다
왠지 모를 설움으로
또다시 고향 하늘을 본다.

하지만
날로 시들어가는
하나에의 꿈을 찾으려
이 밤 조용히 대지를 헤친다.
한강 변에 선다.

그래도
차마 못 잊어
두 주먹을 불끈 모아 쥔다.

노을이 그리는 우리네 하늘이
너무 곱다.

1989년 8월

하나에의 기원(祈願) Ⅱ

내 그리움의 흔적을
이 터에 묻어

영원한 조국의 자양분으로
키우고 싶다.

이 밤 조용히
푸른 하늘을 지키는
내 작은 사랑의 기원(祈願)

한 걸음 한 걸음
쉼 없는 몸짓으로 건너가야 할

슬프디슬픈
우리들의 갈라진 조국!

날로 시들어가는
하나에의 꿈을 찾으려
밤새도록 지지 않는 별을 노래합니다.

1989년 8월

은혜

그에게는
뭔가 느껴지는 게 있다.

보이지 않는 사랑

나는 그를 하늘에서 보았고
또
비참한 인간(人間)의 땅에서도 만났다.

이게 하나인 줄만 알았는데
밤새도록 속삭이는 정성

대낮에도
하늘은 살아 있듯이

온 밤을 두고도 불러주는 노래

그에게는
범할 수 없는 미지(未知)의 힘이 있다.

1990년

매미

어릴 적
여름은 참 시끄럽습니다.

뛰놀던 산과 들
어느 곳에도
내 임은 나를 반겨줍니다.

전선(戰線)이 하늘로 이어진
버려진 이곳에도

아무 서러움 모르고
마냥 매미는 울어줍니다.

어머님
그 울음이
즐거운 통일의 노래가 된다면

남녘 동포 북녘 동포
얼싸안고 뒹굴 것을

1990년

소리 없는 아침

이젠
별도 하나둘 스러집니다.

내 아픈 기억을
별 위에 태워 보냅니다.

말은 없어도
아침은 문을 엽니다.

먼 산 위로
언뜻 보이는 햇무리

어머니!
소리 없는 아침에는
조그마한 희망을 띄우겠어요.

마음이 가난하기에
차곡차곡 빈 자리를 햇살로 채우겠어요.

1990년

철새는 날아가고

조용한 이 밤
전선(戰線)의 하늘은 시꺼먼 대지인 양
말없이 서 있다.

철을 따라 오가던 님

좋은 소식 안고 전선(戰線)으로 온다.

시간은 덧없이 흘러
이 밤
또다시 철새는 날아가고

사랑하는 그 임
기쁜 소식 입에 물고

한가로운 전선(戰線)
곳곳을 헤맨다.

1990년

연인

다정한 그들
손에 손잡고 걸어가는 길

저기 멀리서
우리의 낙원이 손짓해
우리를 부르네

길은 험하고 비바람 거세도
서로를 위하고 의지해

눈보라 속에도 손목을 꼭 잡고
다정한 진실을 나누리

이 세상
모두 잠들어 있다 해도

우리네 사랑의 불꽃
밤을 새워
대지 위에 타오르리.

1990년

그리움

보고파 하면서
만나지 못한 것은
진정 그리움을 키운 탓입니다.

새벽바람 대지를 감싸듯
차가운 가슴으로
불어오는 뜨거운 정

그리움은
입이 있어도 말하지 않고
다만
꾹 참는 것입니다.

위함이 없이
이루어지는 노래는 없어
하늘가에 닿는 그리움 하나

이 밤
당신에게 소리 없는
마음을 전합니다.

1990년

우리네 땅

서럽게 갈라진 땅에선
등줄기에 땀이 배듯
소리 없이 찾아오는 아픔이 있다.

보이지 않는 경계를 사이에 두고
으르렁대는 사람들에게는
이 땅이 정글로 느껴진다.

늘 아프고 어렵고 고달픈 인생을
쓰레기 손수레를 끌어당기며 올라가야 하는
우리네 아픈 이웃이 있는 땅

써도 써도 줄지 않는 돈을 가지고
보란 듯이 유세 떠는 사람에게도
항상 공평하게 손짓하는 엄마

뒤곁 그늘진 담장 밑에서
힘 있게 솟아오르는 나팔꽃의 무리는
담장을 타고 우리 가슴까지 온다.

의미로 이야기하는 진실
속세의 자로 잴 수 없는 인생
마음에 달린 우리

울고 싶은 곳에서는 맘껏 울고
웃고 싶은 자리에선 배가 꺼지도록 웃자.
그 작은 진실들을 가슴에 품고
우리네 땅은 아름다운 꽃을 만든다.

슬픔과 기쁨이 날줄 씨줄이 되어
곱게 수놓은 그곳
우리 삶이 쉴 터
그 기쁜 우리네 땅

기쁨

가을 한복판에서
그를 대한 건 또 하나의 기쁨이었습니다.

나만의 공간
나만의 연인, 사랑, 시간.

1990년

전설

아름다운
이야기가 있습니다.

마음을 착하게 가져
보물을 찾아 서로 나누었기에

불구(不具)는 정상으로
시각장애인은 눈을 뜨고

결국
선(善)은 이기고야 말았습니다.

옛날이야기는
이렇게 전해져 옵니다.

모두에게
착하고 좋은 일만 하라고

오늘은 새로운 이야기를 만들 겁니다.

1990년

휴가

그동안 억눌렸던
가슴마디가
한순간 기쁨으로 부서집니다.

많이 수고하셨습니다.

가족 친지
못 찾아뵌 죄를 씻으러
허둥지둥 고향으로 몸을 날립니다.

두루 편안하셨는지요.

사회 각각 생동하는 열기를
가슴 가득히 느껴봅니다.

나도 이제 얼마 남지 않았습니다.

조국 강산을 지킨 연후에

1990년

이별

헤어짐은
만남이 있었기에 아름답다.

긴 밤을 새워
찾아온 그이기에

오늘은 비록 어려운 발걸음이지만
내일은
즐겨 정다워지리.

이별이
결코, 마지막이 아닙니다.

인생이 그렇게 짧지만은 않아

오늘과 내일
그는 손쉽게 우리를 부른다.

1990년

나보다 더 나를 사랑하신

지극히도 이기적인 나의 모습에
내가 자꾸만 미워집니다.

저 푸른 하늘에 자유롭게 나는 새처럼
그렇게 훨훨 날아갈 수 있으면
조금씩이라도 나의 성을 벗어날 수 있을 텐데

우주에 만연한 사랑의 기운
대자연의 신비를 온몸에 받고
역사의 결실체로 이 땅에 선 우리

나보다 더 나를 사랑하신
주님의 따뜻한 호흡 속에서
내 생을 이어간다.

한 모금의 공기, 한 방울의 물
한 줄기의 햇볕에도 목말라야 할 우리에게
그 임은 오묘하게 우리를 지켜준다.

더 고민하지 않도록
때로는 폭풍우로 때로는 가뭄으로
안타깝게 키워온 역사의 물줄기 속에서

나보다 더 나를 사랑하신
그분의 발자취는
어려운 시련에 우리를 안으셨다.

인류에게 희망이 있음을
무지개로 알려주신 그 임이 있기에
우리의 삶이 그처럼 아름다운 것을

하나 됨의 몸부림

보고 싶다.
내 그리운 얼굴들.
사랑의 비행기를 타고서
동포의 땅에
평화를 심으러 가자.
하나 됨의 몸부림
자유 민주주의 만세!

1990년

시인(詩人)

그에게는
작은 연필이
언제나 손에 있습니다.

그가
그리는 모든 글은
노래가 되어
가슴에 무늬 새겨 뛰어다닙니다.

종이 하나 없어도
그의 가슴은
황홀합니다.

온 하늘과 땅
그는
작은 눈을 휘둘러
사랑을 적어 던집니다.

인생은 시인이 그리듯 아름답다.

1990년

꿈

긴 밤 속에서도
인생(人生)은
진지한 춤을 춥니다.

잃어버린 이상(理想)
그는
대지(大地) 위를 뛰어놉니다.

즐거워하는 내가 있기에
색깔은
무지갯빛으로 채색됩니다.

슬픈 그림 같은 사랑도
한가락 노래를 전해 주지만

짧은 인생(人生)
설움을 넘고서
현실(現實)을 이겨가야지.

1990년

별

하늘에는
항상
희망이 숨 쉬고 있습니다.

서러운 이에게
반짝이는 미소
진한 사랑을 가슴 깊이 심습니다.

즐거운 이에게
찬란한 노래
모두의 기쁨을 전해 주려고

이 밤
귀뚜라미도 울부짖는데

소리 없는 아우성
그는
사랑을 외쳐 봅니다.

1990년

진실

거짓이라 말하고 싶지만
옳은 것은 있습니다.

새벽, 꿈을 깨치고 솟아난 태양

어두운 마음에
빛을 던져주고 바라고 서 있습니다.

삶이 아름다운 것은
깨끗하기 때문입니다.

날마다의 언행(言行)이
사랑으로 화해된다면

별이 없는 어두운 밤에도
진실은 떠

기쁜 노래로
우주를 녹이리.

1990년

소망

보이는 실상(實像)을 보고
바라지는 않습니다.

정말 중요한 것이
보이지 않기에 소중하듯

우리 사랑은
소망을 타고 퍼져 갑니다.

오늘은 비록
헤어져 바라보고만 있지만

내일은 기쁨으로
만날 것을 확신합니다.

이 밤, 별은 서서 축복하는데

뜨거운 가슴은
찬란히 빛납니다.

1990년

가을의 울음

9월의 어느 한 날
대지의 맑은 공기를 가슴 가득 안고
들판 위에서 뒹굴 수 있다는 건
결코, 가진 자만의 오만이 아니리라.

건강한 대한의 아들로 우뚝 선 고지 위에서
푸르디푸른
가을 벌판을 내려다보는 자부
거친 훈련은 나를 키워준다.

오늘은 어떤 긍정으로
눈이 시린 가을을 맞이할까?
무지개꽃 새겨진 가슴 위로
휘황찬란한 미래의 희망이 솟아오른다.
어려운 날도 나를 키워준다.

꿈속에선
북의 하늘도 남의 하늘도 경계가 없다.
수천 년을 이어온 한 핏줄 한 형제
새들은 날아다니는데
오늘 우리는 마냥 울고 서 있다.

1990년

등불

조용한 산사(山寺)
작은 밤을 밝히는
더 작은 등불

진리를 부르는 염불
적막한 경당(經堂)
등불이 밤을 지새운다.

차가운 이슬
용마루 기와에 뒤덮여
이 아침 산사를 깨운다.

조용한 뜻
구원의 문(門)
작은 노크 소리로 하루를 열어

한 날
진리로 등불 삼아
나를 찾는다.

1990년

내일

생각의 흐름 속에 떠 있는 노래가
이 밤을 밝히며 지나갈 때

내일은 새롭게 오늘로 다가와
즐거운 인생(人生)의 안주가 된다.

내가 바라는 나
우리가 원하는 것을 이루기 위해

오늘과 꿈으로 내일을 짓자.

시간 속에 영그는 사랑으로
우리 가슴을 적셔준다면

절대 외롭지만은 않은 그 날

기쁨으로 정성으로
함께 젓자 새 희망의 배를

1990년

조용한 혁명

이날은
파란 하늘을 보고 싶다.

시커먼 굴뚝 연기 너머
질식시키는 삶

별들도 죽어버린 암흑의 땅에
나는 빛 발(發)하는 작은 촛불 되어
하늘로 솟아오를 것을

은은히
스며드는 소리 없는 외침

별들을 살려
하늘을 보고 싶다.

이날은
참 인간으로
대지에 서야 한다.

1990년

낙서

뜻하지는 않았지만
떨어지는 말무리

하루의 흔적으로 남기고픈 미련에
다함 없는 하늘
그 위에 띄어본다. 내 마음 하나

조국, 국토, 군인
별 무리로 밀려드는 이 밤의 언어들

어둠 속에서 환히 미소짓는 노래에
세찬 파도의 인생길
훨훨 저어가 본다.

작은 철학으로 만나는 우리
진실로 통하는
무엇이 되고 싶다.

1990년

고독

자잘한 나날의 변두리에서
뭔지 모를 고독으로
지새는 시간

이루어야 할 내가 있기에
참고 가는 길

긴 노래로 불러주는
소중한 사랑

이제는 보름처럼 빛나는 달덩이 되어
내게 온다.

사람은
정으로 사람이 된다.

너무도 따뜻한 가슴으로 그를 만나
얼큰한 얘기로 나를 주고 싶다.

이왕 내친걸음
진실한 모습으로 만나고 싶다.

1990년 7월

고향으로 가자

이 땅에서 살자꾸나.
우리네 정든 이웃아

안으로 설움은 삭여 녹이고
밖으로 사랑의 향기 피워
한자리에 모이는 그리움

내 안에 숨어 있는 보물을 찾자
원석의 둔탁함을 벗겨내
갈고닦는 연단으로
우리를 빚자

이제 자잘한 얘기를 나누자

넓은 가슴으로 사물을 보고
사랑이라는 배에
내 이웃을 실어
아름다운 우리 조국,
고향으로 가자

1990년 8월

전설 같은 내일

지루한 하루가 간다.
그 속에
의미를 부여해
커다란 인생에서의 계획을
꾸며 본다.

오늘이 모여 만들어내는
전설 같은 내일

그날을 위해
우린 작은 땀이라도
흘려볼까나

마음이 울적할 때는
고향을 그려보며
내 뒤에 올 후배를 생각하자.

떨리는 두려움으로
오늘을 걸어보자.
지루한 날 가운데
우리 사랑으로 이겨보자.

1990년 8월

가을엔

이 가을에는
내게로 떠나는 여행을 꿈꿔 봅니다.
마음속에 굳센 희망을 키워
차근차근 걸어가야죠.

언제나 혼자뿐인 결말이 아니라
주님과 함께 돌아오는
경건의 시간이면
더욱 좋겠습니다.

남은 남들을 소중하게 생각하고
거리는 사랑의 화음으로
모든 사소한 일상을
사랑해야죠.

주님의 이름이 없더라도
해맑은 우리의 가슴
겉으로 드러내진 않아도
내재한 신앙의 아름다움
우리 이 가을엔 더욱 성숙해야죠.

1990년 9월 3일

마음의 고향

새소리 물소리에
밤조차 새로우니

도심에서 찌든 마음
크게 한번 열어보자

아침이 활짝 웃으며
너를 반겨 주누나

자연에서 태어나
세상에서 병든 몸

마음 한번 바로써
진실을 찾는다면

여기가 마음의 고향
크게 한번 웃자고

1994년

한강 바람을 맞으며

한적한 날에 작고 가벼운 도시락을 들고
한강 변에 선다.

앞으로 넘실거리는 한강을 대하니
막혔던 삶의 자리가 뚫리는 것 같다.

연이어 펼쳐지는 한강 다리의 숲을 지나
언뜻언뜻 보이는 보트의 색깔이
퍽 예쁘다.

아파트 사이사이로 짙푸른 녹음이 져 있고
성냥갑만 한 차들이 가끔 보인다.

서서히 졸면서 지나가는 흰 구름이
조용히 굽어보는 한강의 푸른 물결에는

바람 따라, 잔잔한 이야기들이
쉼 없이 흘러만 간다,
세상사 그렇게 흘러간다는 듯이.

1994년

망망한 대해(大海)

거칠 것 없는 시선의 끝을 따라
멀리 내다보아도
시원한 바닷바람에 곁들여
희고 자욱한 안개의 끝만 걸린다.

저문 듯 여울지는 수평선 위에
언젠가부터 외로이 떠 있는 고깃배 하나
무얼 찾으며 먼 길을 내닫는가?
푸른 물결 따라 원을 그리며 멀어져가는데
지켜보는 내 배 또한 외롭다.

흰 물거품 속에 언뜻언뜻 스치는 인생(人生)
앞으로 나아갈 때마다 푸르게 다가오는데
3층 높이에서 내려다볼 때
빨려드는 아픔을 뒤로 한 채
먼 태양에게 눈을 돌린다.

1995년 8월 9일

동작동에서

해마다 피어나는 목련이
고고한 자취를 맘껏 떨치고
붉게 지는 이 계절에
이 땅의 후손으로
서러운 가슴 안고 동작동 고개턱
국립묘지를 오른다.

임들은 소리 없이 누워
이 산하를 지키고
흐느끼는 우리는
꽃송이로 아픔을 달래지만
해마다 피어나는 목련처럼
슬픔도 그렇게 피어오른다.

피로 지킨 조국
땀으로 살린 경제
눈물로 이룬 민주주의의 싹이
IMF라는 복병을 맞아
휘청거리는 우리네 삶 속에서
작은 희망 찾아 오르는 이 언덕

이렇게 살라 한다
저렇게 뛰라 한다
이 땅을 지키고, 경제를 살리고
민주주의를 꽃피우기 위해
다시 한번 이렇게 살라 한다.
다시 한번 저렇게 뛰라 한다.

1998년

인생(人生)

슬퍼하지 말아요. 인생이 슬퍼도
외로워도 말아요. 혼자라고 느낄 때
우리는 외로운 인생 슬픔조차 즐겨요

눈물짓지 말아야 외로운 인생길에
어떠한 괴로움도 속으로 참아야
우리는 고달픈 인생 아픔조차 즐겨요

이번 가을엔

이번 가을엔
더 많은 생각을 하고 싶어요.

사랑과 인생
가을 속에서 더 아름다운 노래를 들으며

성숙하고도 풍요로운
우리 역사에 대해

이번 가을엔
더 많은 사랑을 하고 싶어요.

우정과 그리움
가을이 줄 수 있는 향내를 흠뻑 맞으며

삶의 동반자와 함께 나누는
부드럽고 따뜻한 우리 사랑을

누렇게 펄럭이는 벼 이삭을 보며
가슴 벅차게 느끼는 이 가을엔

우리 삶
우리 역사
우리 사랑을
더욱 진하게 만나고 싶어요.

고통과 환희가 어우러진
슬픔과 기쁨이 교차하는

그 찬란한
삶, 역사 그리고 우리 사랑을

이번 가을엔
더욱 깊이 체험하고 싶어요.

시작(詩作) 노트

사색의 계절 가을, 결혼의 계절 가을에는 우리 인생, 우리 역사, 우리 사랑에 대해 더욱 진지하게 성찰해 볼 필요가 있지 않을까요?

2001년

믿음으로

주님이 나를 믿었습니다.
내게 독생자를 주셨습니다.

내가 주님을 믿습니다.
주님이 나를 살립니다.

주님이 나를 부르네요.
나도 주께 달려갈래요.

주님이 보혈을 흘렸습니다.
내게 구원을 주셨습니다.

내가 주님을 사랑합니다.
주님이 나를 건집니다.

주님이 나를 반기네요.
나도 주만 찾아갈래요.

2003년

산행

서늘한 햇살 벗 삼아 오르는 산행에
숨 가쁜 고통이 밀려오면
터벅거리며 지친 발걸음을 잠시 멈춰본다.

십자가 모진 고통당하면서
주님이 골고다 언덕을 올라가며
한사코 이어가는 고통스러운 강행군
십자가의 길.

죄 없으신 하나님의 아들이
나의 죄를 대신하고자 겪는 험난한 산행에
오히려 더딘 내 모습이 서럽기만 하다.

그가 찔림은 우리의 허물을 인함이요
그가 상함은 우리의 죄악을 인함이라
그가 징계를 받음으로 우리가 평화를 누리고
그가 채찍에 맞음으로 우리가 나음을 입었도다.

현실의 고통이 내게 밀려와도
세상의 유혹이 내게 달려와도

내가 받은 사랑 때문에 이길 수 있고

주위의 오해가 내게 쏟아져도
육체의 아픔이 내게 찾아와도
내가 받은 사랑 때문에 넘을 수 있다.

복음 들고 땅끝까지 가는 발걸음에
사랑 들고 널리 이웃에게 향하는 손길에
영혼의 기쁨이 넘치고
퍼져 가는 구원의 소식이 늘 희망스럽기만 하다.

2006년 7월 15일

아무리 힘들고 어려운 일이 닥치더라도 지킬 만한 가정이 있어야 그 사랑으로 하나님의 말씀을 지키며 올바른 가정을 이룰 수 있고, 고난과 역경을 이길 힘도 가정을 통해 얻을 수 있습니다. 이런 하나님의 가정은 사회 전체적으로 선한 영향력을 만들어 갑니다.
가정은 우리가 어려움을 당할 때 최후의 보루가 되어야 합니다. 일에 지쳐 쓰러질 지경이라도 돌아갈 집이 있다면 그것으로 새 힘을 얻을 수 있습니다.

마지막 달을 맞으며

한 해 동안 숨 가쁘게 달려온 것이
내 수고인 것은 아니지만
그래도 무언가 남기고 싶고
자랑하고 싶은데
피 쏟으신 주님 사랑 되새기면
한없이 초라해진 내 모습만 보입니다.

죽어가는 수많은 영혼을 보면서
하나님의 사랑을 전하지 못함이
나의 일 아니라고 수수방관한
부끄러운 내 아픔이 되니
이 안타까움이 불쌍한 내 모습입니다.

만나는 사람마다
주님 사랑으로 대한다고 하지만
알지 못하는 이들에게는
그저 지나가는 넋두리인 것을 알면서도
전하지 않으면 안 될 십자가 주님 때문에
오늘도 내 이웃의 영혼들을 돌아봅니다.

올해 내게 주어진 날도 많지는 알아
세월의 빠름을 느끼면서도

이루지 못한, 거두지 못한
내 영혼의 서글픈 사정을 뒤로하고
또다시 새해를 기다립니다.

묵혀버린 마음 밭을 다시 흙갈이하고
주님 사랑의 씨를 뿌려
내 속에 영혼 구원의 꽃망울을 피우고
삼십 배, 육십 배, 백 배
더 많은 열매를 맺고 싶습니다.

2007년 12월 8일

우리 민족은 하나님께서 도우신 덕분에 여기까지 왔습니다. 천지 만물을 주시고 소유하고 정복하며 다스리라 축복하신 하나님, 타락한 인류를 살리려 독생자 예수를 보내셔서 구원의 길을 열어주신 하나님, 그러하신 하나님이 36년간 일제 치하 속에서 말도 잃고 이름도 잃고 식민지 백성으로 살던 우리 민족에게 해방의 기쁨을 주셨습니다.
우리는 예수를 영접한 날에 개인적인 광복을 맞았습니다. 빛을 발견했습니다. 지옥의 어둠을 몰아낼 빛으로 오신 주님을 만났습니다. 영적 광복을 맞은 기쁨을 어둠 속에서 헤매는 이들과 나누고 싶습니다.

승환이는 좋겠다

잘 생겼으니까
똑똑하니까

태권도를 잘 하니까
게임을 잘 하니까

놀기를 잘 하니까
그림을 잘 그리니까

레고 조립도 잘 한다.
유튜브도 잘 따라 한다.

엄마 아빠가 있어서
누나와 동생이 많아서.

2017년

새로운 다짐

늘 열심히 살자
주어진 하루를 실하게 채우며 후회 없이 살자

늘 새로운 사람을 만나며
늘 새로운 책을 통해 지식을 얻어도
변화가 없다고 자책하지 말자

내게 주어진 하루가 나를 만든다.
오늘 하루를 마감할 때
기쁘게 눈 감을 수 있도록 살고 싶어요.

주변을 늘 깨끗이 정리하자.
내 빈 자리가 지저분하지 않도록
내가 없으면 다른 사람이 이어받아야 합니다.

지나고 나면 모든 것이 아쉽게만 느껴진다.
어제보다 더 나은 오늘에만 신경 쓰자.

새로운 다짐으로 끝내지 말고
계속 나를 채찍질합니다.
그렇게 나는 행복합니다.
날마다 행복하게 살아갑니다.

2018년 3월 8일

사람이 죽는다는 것

유명 연예인이 성추행 고발로 자살했다.
지금껏 누려왔던 모든 것을 이별하고
먼 길을 떠났다.

남은 자들이 너무 불쌍하다.
그의 가족들이 너무 안쓰럽다.
관심 가진 모든 자가 놀랐다.

이런 일이 일어나지 않도록
미리 인문학적 소양을 쌓도록
윤리 도덕이 올곧게 서 있는 사회가 되도록
그동안 너무 경쟁에만 몰두했던 우리를 반성한다.

정신의 피폐함을 가져왔던 모든 스트레스를
이제는 거부해야 한다.
주변의 불의를 그냥 지나치는 무관심을 버려야 합니다.

집단의 이익 운운하며 개인을 가지고 놀던
더러운 성적인 행위들을 정죄하고
모두가 살기 좋은 세상을 만들어야 합니다.

2018년 3월 10일

변해가네

예전에는 이러지 않았는데,
자꾸만 사람들이 변해간다.
아니, 오히려 내가 변했다.

사소한 일에도 자기주장만 하다니
말한 사람의 의도를 무시하고.
자기 말만 강조하다니
예전에는 그러지 않았다.

말해 주는 것만으로 감사했는데
관심 가져 주는 것만으로 좋아했는데
이제는 내가 올바르니 조용히 따르라고 한다.
웬 시비냐고 자기주장에 열을 낸다.

반대로 내가 왜 그런 주장을 할까?
나만 바르다고 내가 교만해져서 그런 것인가?
사랑하는 마음이 더욱 커져서 그런 것인가?

예전에는 틀린 말이 아니면 의사를 존중해주었는데
이제는 여러 번 말해도 자기주장만 말하니
내가 변한 것인가, 누가 변한 것인가,
모두가 변해가네.

2018년 3월 13일

이별의 편지

이런저런 헤어짐이 있어 만남은 늘 싱그러운데
기쁨만큼 아픔도 커
아픔만큼 기쁨도 큰 것
영원을 이야기하지는 않았지만
소리 없이 다가온 이별

미안하다. 마음의 부담으로 너를 볼 수가 없구나
잘 되기를 빈다.

수화기를 통해 들리는 가냘픈 목소리
가슴 가득 진한 허무를 준다.
내가 너에게 어떤 존재였기에
그토록 조심스러운 만남
즐거운 시간이 가고
삶이란 이렇게도 조용한데
우리 여정에 보이는 갖가지 교차로
그 안에서 언뜻 보이는
미소로 다가온 모든 만남을 가슴에 담고
기쁘게 길을 건너자.

너에게 주고 싶은 말
너 또한 잘 되기를 빈다.

휴전선의 비원(悲願)

밤안개 휘감고는
깊은 산
어느 골짜기

갈 길잃은 새소리만 외롭고 쓸쓸하게
민족의 그리움을 전한다.

어스름 달빛 아래
고이 잠든
우리네 땅

멀리서 불어오는 엷은 바람 한 조각이
작은 희망을 실어 나른다.

부끄럼 없는 새벽의 탄생을 위해
시나브로 시커먼 어둠이 걷히면
온몸으로 부르는 백의(白衣)의 비원(悲願)

철마, 아직도 허리 잘린 채 정지된
슬픈 전설을 끝내야 한다.
반만년을 지켜온 강산
노을이 그리는 하늘이 너무 곱다.

아침의 사람

저녁이 지난 후
칠흑 같은 고난의 밤을 겪고
비로소 서는 아침의 사람
찬란히 떠오르는 여명의 발자취

모진 고통과 시련 속에서
아름다운 한 송이 꽃을 피우듯
상쾌한 아침
그 해맑은 아침의 사람

기나긴 날이었기에 더 큰 의미로
우리 앞에 다가와 우리가 되어
개나리, 진달래, 봄맞이 잔치를
한바탕 흐드러지게 열어볼까나

저녁이 지난 후
안에서 솟아나는 설움을 이기고
비로소 기뻐하는 아침의 사람
맑고 푸르게 해 뜨는 우리의 비전

그대 오려는가

지금 밤이 깊었다고
그대 말하려나!

여명 속에 홰치는 저 소리가
아직도 들리지는 않는가?

눈이 펑펑 내리고
병든 자취 보이지 않는다고

그대
편히 숨을 쉴 수 있을까?

어찌할 수 없는 설움에
부어버린 눈을 안고
또다시 쏟아내는 아픔

지금 밤이 깊었다고
그대 말하려나

눈물 속에 피어나는 별들의 소리가
아직도 들리지는 않는가?

피어라 젊음이여

새로운 거리에는
젊음이 넘쳐흐른다.
아롱다롱 화려하게 예쁜 옷차림 속에
쌍쌍이 피어나는 웃음꽃이다.

새로운 마음에는
활기가 우러나온다.
아름답고 착하고 순수한 지성 속에서
밝게 드러나는 미래가 있다.

사람마다 그리워하는 사람
민족에게는 기다리는 소망
피어라 젊음이여

너와 내가 맞잡고 세운 거리
마음이 어우러져 만든 새터
희망하라 젊음이여

조용히 타오르라
새터의 거리에
새 마음의 노래가

새터로 가는 길

이리저리 떠돌아
지쳐 쓰러질 때
내 본향을 찾아 머리를 치켜든다.

새로운 문화의 출발지로
새로운 전통의 계승지로 자랑스레 서서
가까이 다가가는 희망

힘껏 대지를 품어라

이곳에서 발원하는 아름다움
여기에서 피어나는 젊음이 커져
모두에게 빛나는 소망

더욱 푸르게 진리를 안아라

이리저리 헤매다
지쳐 쓰러질 때
내 본향을 찾아 걸음을 옮긴다.

마음으로 가는

구름이 흐릅니다.
내 마음 깊은 곳으로

사랑의 색, 함초롬히 안고서
그리움을 가슴 가득히

새가 납니다.
우리 사는 작은 하늘에

희망의 노래, 빛나는 기쁨으로
사랑을 마음 곳곳에

매서운 겨울 추위가 지나고 꽃샘추위가 봄소식을 기다리는 사람들을 애태우더니 이제 정말 만물이 소생하는 완연한 봄이다. 광양시 매화 소식에 이어 구례군에는 산수유가 활짝 피었다고 상춘객을 유혹한다. 벚꽃 마을에서는 개화 시기에 맞춰 다채로운 축제를 준비한다. 주위에는 히아신스 향기가 코를 찌르고 먼 산에 진달래꽃도 수줍은 자태를 선보인다. 이 모든 것이 겨울이라는 혹독한 추위를 견디고 소생(蘇生)한 것이기에 더 큰 감동으로 다가온다.

꿈속에선 언제나

그냥 욕망의 거리 삶에서 눈을 감아본다.

작게만 느껴지는 나를 벗어나
커다란 날개를 더 펼쳐라
내 짐을 벗고
내 탈을 씻어 내고
우리네 세상살이 두 가슴으로 느껴

그렇게도 황홀한 세상
꿈속에선 언제나

누군가가 몹시도 싫어져
살며시 눈을 감아본다.
이래도 한세상, 저래도 한세상
삶의 어느 길목에서
무엇이 되어 만날지 모르는 인생

몹쓸 에고를 벗어던지고
사랑으로 하나 되는 세상

그 아름다운 꿈이 이뤄지는
꿈속에선 언제나

지나가는 구름이

저렇게도 가는구나!
아니 저기 먹구름도 보이네
양같이 순한 자취
그 뒤를 따라
눈이 머무는 곳곳에 비치는 세상

무언가를 바란다는 인위(人爲)가
어스름하게 녹아 빚어내는
꿈같은 아름다움
그걸 누리고 싶다.
그 어둠까지 안고 싶다.

그저 그렇게 가는구나.
아무런 욕심 없이 흘러
목청껏 외치는 소리가
자잘하게 부서지는 구름 들녘
이리저리 뒤엉켜
하나인 듯 여럿이며, 여럿인 듯 하나이니

갖은 더럼을 한껏 받아
내 쉬는 희망
지나가는 구름이 나를 조용히 부른다.

별처럼 은밀하게 살아가는

어린 왕자가 뒹구는 별에
작은 장미 한 송이
마음이 아프다.
두 눈에 맺혀지는 추억
그 향기를 숨 쉬어야 해

별과 같이 노래하는 세상
모두의 귓전을 때리는 작지만 깊은 그리움
내가 너에게 보내는 사랑
너로 인해 느끼는 사랑

별처럼 은밀하게 살아가는 우리 소망
세찬 파도 삶의 뒤안길에서
숨소리도 미약하구나.

뜨거운 내 마음, 잠들 수 없는 이 세상
쉼 없이 번쩍이는 호흡, 연약한 절규

별처럼 은밀하게 살아가는
우리 소망을 먹고
모두가 쳐다보는 하늘
훤한 그 미소가 웃네

사랑으로

어여쁜 장미꽃이 대지를 장식하니
향기로운 그 냄새가 마음마저 적셔준다.
임 그린 기다림으로 모든 것을 보고자.

임 계신 마을에는 모두가 정겨워
몇 번을 쳐다봐도 싫증 나지 않으니
이상하다 내 마음이야 사랑이 무엇인가?

음악이 아름다워 자꾸자꾸 듣고
그림이 보기 좋아 또 한 번 쳐다보니
마음이 깨끗해지고 세상이 밝아진다.

진달래꽃

보랏빛 내음으로 세상에 태어나
한줄기 사랑 찾아 우리에게 다가선
소중한 아름다움을 온몸으로 느끼고

푸르른 하늘가에 영그는 오랜 희망
불타는 사월에는 그 뜻 너무 깨끗하다.
가슴 속 우러나오는 핏물 같은 그리움

어두운 밤이 와서

밤이 소리도 없이 다가온다.
고달픈 나그넷길
쉴 곳을 찾아 헤매는 발길

가도 가도 끝이 없는 어둠 속으로
밀려가듯 살아가는 세상
하루 동안의 고독을 잊고서
조용히 안식하라

돌아서고 싶은 발걸음
그래도 안고 부대끼어 맞이할 노래
내일을 그리는
작디작은 소망의 몸부림

하루라는 일생을
후회 없이 안식하라
언뜻언뜻 지나가는
삶에의 절망에서조차 솟아날 힘을 주나니

칠흑 같은 어둠
한없이 낮아지는 우리
그렇게 처음부터 다시 시작하라.

한강에서

물고기 비늘처럼 반짝거리는 물결 위로
날렵한 제비가 맴돌고 있다.

한쪽에서는 다리 토목공사가 한창이지만
자연은 담담히 지켜볼 뿐이다.

바람처럼 물처럼 흐르는 세상
오만가지 생각을 버리고
강이 전하는 기억 속의 멜로디를 듣는다.

추억(追憶)

노래에 젖어 산다고 하는 것이
진실한 행복인 줄 예전엔 몰랐는데
세월이 지나고 나니 그 시간이 그립구나

무언가를 찾아 서성이며 지낸 날이
당시에는 힘들고 지루하게 느껴져도
그것도 한때뿐인 걸 아름다운 추억이라

새벽같이 다가오는 희망

눈뜨자마자 휘영청
단 세상 새로운 삶

뭔가 좋은 일이 있을 것 같은
조그마한 예감을 믿고
힘차게 내딛는 새벽

서러운 어제는 과거로 돌리고
밝고도 희망찬 아침을 맞는다.

지나간 아픔이 알알이 맺힌
어둠 한구석을 열어젖히며
오늘이라는 시인을 맞이한다.

미로 같은 어둠을 이겨
희망을 가르치는

자꾸만 내 안으로 침잠하는 에고를 깨워
노래한다.
찬란한 새 아침
희망의 나팔

푸른 하늘이 저렇게만 슬퍼하니

서글픈 물감이
저렇게도 번져있는 하늘

안으로 억눌린 설움 못내 삭이며
기어이 지르는 함성
시커먼 울음이어라.

우리네 살림살이
서러운 노래를 듣고
슬픈 눈물을 읽고

하늘가 주름진 이마
푸른 하늘이 자꾸만 울먹이는 그리움
목 타는 안타까움이
오늘도 잠 못 이루는 우리에게
더 큰 아픔을 듣게 한다.

티 없이 맑은 하늘
그 순수한 영혼을 위한 울부짖음
희망찬 고동이여!

그리운 나라

내가 자란 대지에는
푸르른 그리움이 자라고 있습니다.

더욱 큰 꿈을 간직하고 살라며
소중한 진실을 아지랑이처럼
피우고 있습니다.

삶의 험준한 산을 넘다가
지치고 외로울 때면 언제나
마음이 되살아오는

내 그리운 나라
서럽도록 아름다운 꿈의 고향

날마다 아침이면 새로운 마음
그 행복한 향기를 맡을 수 있고
마주치는 이웃 한 사람 한 사람이
소중한 얼굴

아이는 그렇게도 맑은 눈동자를 하고 있습니다.

시원스러운 새벽 공기를
가슴으로 살며시 느껴보는
그 미지의 나라로

별처럼 지지 않는 순수를
늘 찾아야만 합니다.

푸르른 하늘이 작은 햇살을 뿌리고
가을이 되면 맘껏 풍요로운 대지에서

내 그리운 나라에는
오직 사랑만이 숨을 쉴 수 있습니다.

하나님께서는 천지 만물을 창조하여 인간에게 다 주셨고, 죄를 범한 후에도 인류에게 독생자 예수 그리스도를 보내셔서 인간의 죄와 저주를 대신 담당하시고 십자가에 못 박혀 죽게 하시어 우리를 죄와 저주에서 구원하여 주셨다. 이런 놀라운 하나님의 은혜를 알기에, 우리 기독교인은 하나님 외에 다른 어떤 신에게 우상숭배 하거나 제사하는 것을 절대적으로 피한다.

철학 하는 기쁨

동물이 되기에는 이성이 안타깝고
신이 되기에는 죽을 수밖에 없는
내 여기 사람의
한숨 어린 기쁨이 있으리라

인간은 인간이기에 인간다워야 하며
사람은 사람 때문에 사람같이 살아야 하며
우리는 우리로서 우리처럼 우리가 되어야 한다.

철학이 가는 길은
희망 없는 인간에게
꿈꾸는 사람의 아들
노래하는 우리를 주기 위해 열린
고통으로 뭉쳐진 기쁨이다.

아름다운 사람
아름다운 인간
아름다운 우리가 만나는 자리

내 여기 사람의
한숨 어린 기쁨이 있으리라.

도시가 지르는 비명

광음이 무너지는 소리가 들린다.
누구를, 무엇을 찾는지 모르지만

그렇게 애통한 비명을 듣고
하루를 숨 쉰다는 것은 역시 비명이다.

이 땅에서 살아가는 모두에게
살아갈 후손에게까지
이 아픈 도시의 비명을 전해야만 할까?

자연과 더불어 살아가는 꿈
순리대로 생각하는 이성

도시의 아픔을 나의 아픔으로 느끼는
그런 세계가
곳곳에서 피지는
타는 듯한 아픔이 있다.

건물과 건물 사이
자동차와 자동차 그 물결에서
뱀처럼 스멀거리는 공해를 안고
이 땅은 그렇게 아파야만 한다.

세상살이

내 마음이 끌려서 만나본 사람들
모두가 아름다운 마음씨뿐인데
왜 이리 서글픈 세상 마음만 아프다.

갈수록 어렵고 더 힘든 세상살이
이 문제가 해결되면 저 문제가 걸리니
어떠한 인생이라도 그런 과정 거쳤으리

종일토록 생각해도 해답은 안 나오고
하루 내내 실천해도 이룬 것은 별로 없어
무엇을 이룬다는 것 그것조차 의미 없네.

침묵

생각하며 사는 것이 말하며 사는 것보다
몇 배 힘든 것을 살아가며 알게 되네
오로지 조심할 것은 생각 없는 말인 것을

조그마한 감정조차 온몸으로 느껴지니
잠자코 있어도 무수한 말을 하네
거기에 입으로까지 췌언(贅言)을 남길거나

삶의 터전, 그 속에서

사람이 살아가는 곳곳마다
장밋빛 향기가 흘러나온다.

어디에 처해있건 무엇을 하건
형식은 허위일 뿐이고
진실은 사람 그 안에 있다.

우리가 있는 곳에
이상이 있고 사랑이 있고
생명이 숨을 쉰다.

지금 비록 뿌연 안개 속의 인생길에서
지치고 병든 몸일지라도

내가 아니면 채울 수 없는 빈자리
그 절대를 생각한다.

별은 소리 없이 떴다가 소리 없이 지지만
숲은 말없이 우리 곁에 서 있지만

나로 인해 새로운 삶의 터전
잃어버린 나를 찾는다.

자꾸만 삶이 작게만 느껴질 때
나로 인해 더욱 아름다운
자연을 쳐다본다.

내가 아니면 볼 수 없는 산하
내가 없으면 의미 없는 별들

오늘 나는 그 별을 안고 서 있다.
지극히 아름다운 삶의 터전, 그 속에서

소음

밤에 들어보는 소음은
시장통에서 듣던 삶과는
사뭇 격이 다르다.

다람쥐 쳇바퀴 돌아가듯
부산히 움직이는
지친 군상(群像)들이

부닥칠 때마다
얼굴 찌푸릴 고문이 되어
자꾸만 우리를 슬프게 한다.

우리가 선 이 자리에선 소망이

살아 숨 쉬고 있습니다.
아름다운 대지의 공기를 흠 것 마시며
의연하게 서 있습니다.

새벽하늘에는 계명성이 떠 있어
어둠 속을 반짝거리며 지켜갑니다.
우리 인생의 보호자인 양.

우리가 선 이 자리에선
뜨거운 소망이 솟아오릅니다.
순수한 정열, 간절한 희망이
평화와 행복을 위해 노래합니다.

빛과 어둠을 갈라놓는 세상
참과 거짓이 혼재해버린 우리 곁에
정과 사랑으로 이해하자고 외치는
우리 모두의 꿈이 있습니다.

대지에서는 푸른 싹이
계절을 좇아 피어오르고

눌렸단 양심의 봉오리들이
소리도 없이 하나둘씩 일어섭니다.

내 주위를 돌아보고
더 큰 나를 위할 때
각 사람은 우리가 되고
소망의 띠는 우리를 묶어
희망과 정열의 땅으로 갑니다.

모두가 아름다운 곳
해맑은 웃음이 얼굴을 덮고
부드러운 말소리가 하늘을 누비는
우리가 선 이 자리에선 소망이

충무공

이순신 장군이여!
우리의 샛별이여!

당신은 쓸쓸히
홀로 가셨어도

그 효심 충성심만은
영원히 빛나리라.

무지갯빛 소망

그날
무지개는 한껏 비가 쏟아진 후
저문 듯이 솟아왔다.

모두가
눈이 휘둥그레
작은 신비를 보고 있다.

그것이 꿈이 아니고
현실인 것에 고마워하고

내일은 더 밝은
해가 우리를 비출 것이다.

나 때문에 상처받아 아파한 사람들이 있다면, 그들의 마음을 어루만져 주고 싶습니다. 내가 무심코 내뱉은 말에 상처 입은 사람이 있다면 용서를 구하고 싶습니다.
또 내 도움과 따스한 관심이 필요한 사람들이 주위에 있었지만, 그것을 깨닫지 못한 채 분주히 지나치기도 했습니다. 그런 분께도 용서를 구하고 싶습니다.

울창한 숲속에선 새들이

새들이 울부짖는 하늘에서
평화를 찾기는 너무나 힘들다.

갈 곳 없는 아우성
그 세찬 항의에도
안식의 나라가 보이지 않는다.

울창한 숲속에선 새들이
저마다의 노래를 맘껏 부르고
함께 어울려 뛰놀 수 있건만

한밤에 꿈처럼 다가오는 이야기
나를 지켜주는 말
울창한 숲으로 가자.

그 먼 안식의 나라가
손짓하며 우리에게 초대장을 쓴다.

문명의 이기를 우리 것으로

TV가 없던 세상에서
소리로만 살던 이들에게
하얗고 검은 영상이지만
보는 것은 그것만으로 놀라움이었다.

나를 안고 도는 세상에서
내 옛 모습을 고요히 안고 있는 사진
그 작은 기계가 만들어낸 신비 속에서
내 어린 고향을 떠올린다.

멀디먼 나라
바다 건너 수만 리 타향에서 보내는
사랑스러운 임의 목소리
그 작은 의미를 전화로 생각한다.

인간과 함께 하는 문물
그 찬란한 생명의 흔적들을 보고
사랑과 행복으로 싹틔울
새 세계를 꿈꾼다.

사랑스러운 이에게

당신이 있으므로 행복합니다.
당신으로 인해 느껴지는 포만감
그것은 벅차오르는 희열입니다.

그 어느 꽃보다도
그 어느 그림보다도 아름다운
당신은 나의 연인입니다.

그 많은 시간을 두고
화롯불처럼 서서히 간직해온 사랑
당신은 그 사랑의 결실입니다.

탈대로 다 타버린 가슴에
희망의 불꽃을 새로이 피우고
당신은 더 뜨겁게 다가옵니다.

나의 연인이여, 우주와도 바꿀 수 없는 당신에게
작은 사랑의 노래를 드립니다.

불러도 불러도 다함이 없이
온 땅에 메아리치는 그 속에서
당신과 나는 사랑으로 하나 됩니다.

한 가지에서 난 우리

조상이 뿌리 되고
부모가 줄기 되어 하나 된 우리

시퍼런 폭풍우 몰아치는 세상에서
한 조각 나뭇잎 배 삼아 떠도는
영원한 방랑자.

등대처럼 반짝이는 빛을 보고
긴 항해를 비로소 마감한다.

피를 나눈 형제자매는
망망대해에서 보는 북극성과도 같이
내 곁을 맴돌아

뜨거운 사랑도 아니고
차가운 미움도 아닌
지극히 정당하고 순수한 정

뿌리를 통해 이어오는 혼의 소리를 듣고
생활 속에서 단련된 친근함으로

우리는 듣는다.
그 아름다운 조화의 노래를

내가 너일 수 없고
네가 나는 아니지만

같은 진리 아래
떠오르는 햇살같이
너와 나는 그렇게 손잡고 선다.

영원히 의지할 마음의 고향으로
부모님의 거룩한 재산인 우리는
티 없이 맑게 웃는다.

한 가지에서 난 우리는
그 소망의 깊은 의미를 깨닫는다.

사랑하면 모든 문제가 풀립니다. 사랑하면 모든 것이 아름답게 보입니다. 사랑하는 이가 말하는 소리를 듣고 싶고, 사랑하는 이가 원하는 것이라면 무엇이든 다 해 주고 싶습니다. 내게 사랑을 고백한 글이라면 수십 번을 읽어도 좋습니다. 사랑하는 이를 생각만 해도 웃음이 나오고, 온종일 보고도 또 보고 싶습니다. 그 사랑이 우리 인생을 행복하게 합니다.

같이 있다는 것만으로

나의 존재가
이 세상의 아픔을 대신하고
서럽게 흐느낌을 내뱉을 때

산다는 것의 의미를 되새긴다.
아픔처럼 순수한 진실

본질에서 혼자인 인생길에서
누군가에게 의지하면서도
나를 찾아 헤매듯

모든 존재는
각자의 성안으로 침잠해간다.
같은 소망을 품고서도.

우리가 같이 있다는 것만으로
서로가 고마운데

이슬처럼 맑은 하늘 아래 작은 별들
모두가 쳐다보는데

함께 웃고 함께 우는
내 마음의 메아리를 따라

나의 사랑은
그리도 소리 없이 시작되었음을.

대지를 벗 삼아 떠도는 삶에
한 줄기 희망의 빛 되어

이윽고 나와 함께 부르는 노래
그 아름다운 화음에
나는 한시도 눈을 감을 수가 없는데

눈먼 그리움 하나
짧은 만남 긴 이별이 되어
내 앞에 선 자취 멀어져 가고

같이 있다는 것만으로
내게 아름답던 사랑은
짝 잃은 갈매기 되어
서녘 바다를 헤맨다.

힘이 든 날

아무 일 없이 힘이 든 날은
이상스럽게도
가슴이 아프다.

서러운 내 눈이 따라와
마음보다 먼저 울어버린다.

그럴 때는
모든 슬픈 노래가 떠 오르고

숨어서 자란 듯
내 마음 깊이 새겨진
불쌍한 일들이 자꾸 머리를 적신다.

그날 온종일
나는 슬퍼해야 한다.

주님의 은혜로

내가 나인 것이 주님의 은혜입니다.

죄인으로 태어나
주님을 만난 것이 은혜입니다.

날 위해 흘리신 보혈이
주님의 사랑입니다.

죄를 씻기 위해
주님이 치른 사랑입니다.

지금 이렇게 살아가니
주님께 감사합니다.

영원한 나라를 꿈꾸며
기쁘게 사는 것이 주님께 드릴 감사입니다.

오늘 이 하루도 주님의 은혜로
이웃에게 이 사랑을 전합니다.

내가 만난 감사의 의미를
온 맘으로 영광 올립니다.

십자가

시뻘건 핏방울이
가슴으로 흘러내려

뜨거운 통곡으로
대지를 적시네.

아느냐 주님의 고통
구원하신 그 사랑

너와 나의 무거운 죄
피 흘려 씻기니

비로소 사는구나!
사랑하는 인간이여

십자가 등에 지고도
웃으시는 그 은혜

노는 것이

사람이 태어난 이상
어떻게 살아가는 것이 좋을까?

이렇게도 살고
저렇게도 살고
의미 없이 하루하루 살아도
세상은 여전히 굴러간다.

단풍 되어 떨어지는 잎들이
나무의 인생을 슬프게 하지만

그렇게 보니 그렇고
저렇게 보면 저렇다.
저 나름의 의미가 있기에
나는 여전히 희망을 꿈꾼다.

살아가는 것이 노는 것이다.
떨어져도 아름다운 인생이다.

어떻게 보아도 의미는 있다.
노는 것이 살아가는 이유다.

영원한 소망

인생의 봄에는 용수철 솟는 희망이 있다.
지칠 줄 모르고 줄기차게 피어나는 정열에
새로운 시대는 갈수록 좋아지는 것을.

소망으로 맺는 인생의 여름은
뜨거운 만큼 의미깊은 노래가 있다.
무섭게 달려가는 따스한 고향

가을이 오면 아름다움이 시절을 좇아
이리저리 발걸음을 옮겨 다니며
우리에게 그리움을 심어준다.

이제 진지하고 영원한 소망을
겨울은 안으로 안으로 삭이며
우리와 함께 인생을 산다.

신앙의 길을 가면서 내 인생을 뒤돌아보게 된다. 세상을 살아가면서 한편으로는 내세를 소망하며 부지런히 살아온 세월이다. 비록 세상에서는 아쉬움이 있을지라도 영원한 나라에서는 기쁨과 평안만이 가득하기를 소망한다.

나의 기도

보이지 않는 곳에서도
마음의 진실을 찾게 하시고

어두움에서도 환한 빛을 느낄 수 있게
흔들리는 조그마한 마음을
안으로만 굳게 모두게 하시옵소서.

들리지 않는 곳에서도
새 삶의 소리를
가슴으로 느낄 수 있게 하시고

평화의 이야기를 나눌 수 있게
닫힌 마음의 문을
기쁜 소망으로 가득 차게 하소서.

우리의 어려운 걸음걸음마다
구름 기둥으로 인도하시고
불기둥으로 비치게 하시고

불의에 싸이지 않는 저 고향으로
우리의 힘찬 꿈이
한 걸음씩 가까이 나아가게 하시옵소서.

허상을 벗고

떠오르는 태양을 보며 새 노래를 불러보자.

개인을 넘어 사회를 향한
지성의 몸부림이 되고자
작은 가슴을 후회 없이 던지고자 한다.

자각을 통한 사랑이 고통을 정화하고
교정의 아픈 상흔을 안타까이 보게 한다.

이제 뒤돌아보는 내 모습에서
인간적인 너무나 인간적인 지향을 찾아
삶의 진보를 이루어가자.

내 노래가 미완으로 끝나는 한이 아니라
사랑을 위한 뜨거운 눈물이 되고 싶다.

대답 없는 메아리로 내 노래가 끝날지라도
변명 아닌 자신으로
성숙한 우리의 젊음을 그리자.
우리의 정열을 그리자.

나를 잃지 않고

싫어지는 새벽
별은 아주 가까운 바람으로 다가와
온통 가슴을 적셔 놓지만
나는
차가운 사랑을 발에 신고
대지가 부르는 미지로 출발한다.

진리 안에는 내가 있지 않아
사랑으로 찌든 아침
나는 텅 빈 두 손에 사랑을 담고
참다움이 보고파지는 그곳에 서 본다.

나를 잃지 않고
별로도 가슴으로도 깨우지 못한
사랑으로 태워버린 심장을 부여잡고

나가 되어버린 그리움으로
나를 잃지 않고만
오늘 걷는 하루가
무척이나 개운하다.

내 속의 나

나에게 보내는 그 수많은 질문 가운데
진실한 대답은 하나도 들을 수 없어

또 한 번 불러보지만
메아리는 허공만 때릴 뿐이다.

영원한 향수를 품고서
오늘을 살아가는 내 속의 나

깊은 한숨 서린 표정 속에도
더 깊은 사랑이 숨어 있나니
아름다운 수선화가 핀다.

등대를 지키는 등대지기
새벽을 깨우는 선구자처럼

이리저리 재서는 도달할 수 없는 본향
그리운 미지로 떠난다.

부닥치는 파도 속에 떠내려갈지라도
현실이야 고까짓 것 한순간인걸

자랑스레 역사를 산다.

깊은 갈등과 번민으로 우울할 때
은밀하게 들려오는 깊은 목소리

세상은 내게 모든 것을 맡기고
또한, 많은 것을 요구하지만

세월의 흐름 속에 작아진 나는
커다란 함성으로 지르는 내 속의 나에게
언제나 무거운 짐을 빚지고 있다.

인생을 창조한 하나님이 계셔서 천지 만물을 주고 살아갈 조건을 만들어 주셨으니 감사합니다. 우리 조상 아담이 죄를 범했을 때는 한없는 부모의 사랑으로 구원의 길을 열어주셨습니다. 마침내 독생자 예수 그리스도를 보내 우리의 모든 죗값을 치르려고 십자가에 피 흘려 죽이기까지 사랑으로 섬겨 주셨습니다. 사랑받은 우리가 할 일은 오직 사랑하는 일입니다.

삶의 고비를 지나가며

그대 떠나는 마음으로
이 잔을 들어 올리며

안녕하고 물었지만 아직도
그 대답은 잔 속에 남아있네.

시간이 울며 지나간 이별에는
슬픔이 낙엽 되어
한 방울 한 방울 구르듯

조그마한 가슴에
호수 되어
떠도는 배

이제 물살에 휩싸여 무너지는 마음
가고 또 오는 것이지만

기약 없는 아픔이기에
슬픈 날을 그려본다.
그지없이 그지없이.

나를 만나러 가는 길

말을 아끼고 싶습니다.
내 소중한 진실을 지키기 위해
안으로 삭여
조그맣게 영글어가는 말

조용함 속에 힘이 있습니다.
얄팍한 입이 아니라
뜨거운 가슴으로 부르는 노래

내 마음에서 자라는
사랑은
그것만으로도 대지를 녹일 수 있어야 합니다.

겨울바람
힘차게 불어오는 바람을 맞고도
오히려 안으로 새겨지는 진실

말은 아껴져야 합니다.
나를 가꾸는 사명으로
오늘을 살아갑니다.

그렇게 하루는 지나갑니다.

아름다운 동행

내가 걸어가는
쉼 없는 인생에서

내 꿈들이 현실에 무너지고
내 사랑이 일상에 좌절될 때

나는 나로 사는 것이 아니라
내 육체만 하루살이처럼
숨 쉴 뿐이다.

우리가 함께 만들어 가는 세상
그 아름다운 동행을 위해

이 현실을 꿈으로 풀고
이 일상을 사랑으로 살아갈 때

내 육체는 비록 매일 죽어도
나는 또한 매일 새 사람으로
부활할 뿐이다.

여름의 길목에서

긴 겨울이 지났다 싶었는데
어느새 봄은 사라지고
뜨거운 햇살은 우리 몸을 녹입니다.

겨우내 움츠렸던 마음이
채 기지개를 켜기 전
내 주위에선 해변으로 가는 마음을 봅니다.

세월은 실같이 흘러
인식하지도 못할 시간에 놀라
오늘도 뒤뚱거리며 하루를 보냅니다.

그렇게 여름은 오고
그렇게 세월은 가는 것

올여름에는
더욱 진하게 세월을 느낍니다.

올여름에는
더욱 진하게 인생을 느낍니다.

메아리 없는 울부짖음

깨어 기도하는 이가
진정 원하는 것은 무엇인가?

세계평화
인류 행복
말로 외치는 것이
과연 진실의 수호일 수 있는가?

듣는 이 없이 외치는 소리
참여를 촉구하는
그 뒤에는 무엇이 담겨 있는가?

누군가 시작해야 한다는 당위(當爲)로
몇 사람이 지르는 고함
역사는 소수의 창조적 지식인에 의해 이뤄진다는데

진리 안에서 하나를 말하는
진리는 무엇인가?

조국

당신이 있는 곳에
우리의 사랑이 같이하기를

오천 년 원한의 역사에
백의는 피로써 얼룩졌습니다.

눈물로 수놓아진 역사에
곰방대는 부러져 놓였습니다.

우리의 조그마한 기원이
당신에게 향할 때

어린이는 시이소오에서
생명을 꿈꾸며 힘차게 구릅니다.

어려웠던 역사에 새로운 삶이 약동하며
뜨거움이 마음에 일렁거립니다.

동방의 한 빛으로
당신은 우뚝 서야만 합니다.
아니, 인류의 한 빛으로
당신은 찬란하게 펴져야만 합니다.

당신이 있는 곳에
우리의 한 꿈이 같이 하기를

세계의 소망이 당신에게 있습니다.
바라다보이는 한 날에
반만년 역사는 태양같이 빛나는 백의로
가득 찰 것입니다.

번영의 화려한 역사로
우리는 자랑할 것입니다.

당신이여
우리는 한 빛으로 깨지지 않는 소망을 이루소서

당신이 있는 곳에
우리의 사랑이 같이하기를

우리 자녀가 나라에 필요한 일꾼으로 성장해야 우리나라 앞날이 밝다. 학교에 가서 공부하고 연구하여 학자의 길을 가든, 사회에 나가 취업을 하든 모두 중요한 일꾼이다. 자녀가 적성과 소질에 따라 직업을 선택하고 사회에 이바지함으로써 보람을 얻게 해야 한다. 자기에게 주어진 달란트를 발휘하여 이 땅에 태어난 목적을 달성하는 삶이 성공한 인생이다.

아침에

불현듯 떠오른 환한 얼굴에
수줍은 새색시 미소로
살포시 눈을 가린다.

긴 밤의 어려운 자취도
금세 시들어버리고
뽀얗게 타오르는 희망

이제부터 시작
새날이다.

소리 없는 외침으로 대지에 주는 노래
움츠린 어깨를 털며
새 땅을 힘껏 딛어보자.

주님께서 원하시는 것은 하나님을 향한 사랑이며, 그 사랑의 표현으로 이웃을 사랑하라고 하셨습니다. 하나님을 사랑한다고 하면서 형제를 미워하는 사람은 거짓말쟁이입니다. 눈에 보이는 형제를 사랑하지 못하는 사람이 보이지 않는 하나님을 사랑할 수 없습니다.

그로 말미암아

나의 사랑은 이내 식어갑니다.
지속적인 관심과 호기심에 젖어있던

순수한 나의 노래가 어느 한순간
쉽게 잊히는 노래가 되어 식어갑니다.

그토록 말갛던 희망과 바람이
긴 머리 대지 위로 흩뿌리며
나를 손짓하며 멀어져 갑니다.

내 눈에 아련히 되돌아오는 이기(利己)
얼마나 오랜 시간을 눌러야만
창조의 선함으로 화(化)할까요

기지개를 켜며 아침을 맞는 싱그러운 소녀처럼
서러움의 자동화(自動化)를 비로소 작동합니다.

이젠 꿈으로도 잊히지 않아요.
먼 길 떠나는 그에게 조용히 당부하는 밀어(蜜語)로
자꾸만 귓가를 속살거리는 사랑

결코, 이상으로만 믿으며
영역의 숲으로 들어가기를 거부했던 현실의 자아

그 변명의 외침이
자꾸만 내 온몸을 휘감아옵니다.

그로 말미암아
세상은 빛으로 인해 달처럼 환히 웃음 짓습니다.

햇빛의 요사함을 버리고 은은한 소녀와의 사랑
어둠 속에서도 정(情)은 뜨겁습니다.

나를 버린 자리에서 새롭게 펴내는
모두를 위한 노래와 사랑

그 쉼 없는 환희를 모아
의미 있는 세계로 배 띄워 보냅니다.

마음의 평화로 찾은 내 생명의 안식
길지만은 않은 나날 가운데 이루어야 할 작은 꿈입니다.

이젠 작은 화 촛불 속에서도 꺼지지 않는 순수함으로
나의 사랑은 피어납니다.
시끌시끌한 환호와 주목을 서서히 벗어나.

희망을 주는 이 땅을 위해

그렇게 찌푸린 얼굴로 그리는 세상은
왠지 모를 탁한 유채화
가슴까지 텁텁하다.

오늘 나만 느끼는 걸까?
뭔지 모를 예감으로 둘러본 도시는
모두가 세모로 구르는 잔인한 소리

아, 여기가 무채색 세계구나
빨간 덩어리가 낯선 빛으로 다가와
조그맣게 몸을 숙인다.

하지만, 아침에 보는 저 맑은 하늘에서
다시 피어오른 꽃피는 도시
밝은 유채색 태양의 시선을 본다.

매캐한 냄새와 질식하는 공기가
함께 어우러져 시위하는구나!

아직은 기다림을 필요로 하는 마음들
꿈이 새로 싹틀 대지
희망을 주는 이 땅을 위해

그대

마음속에 가득 담긴 그리움으로
나직이 불러보는 사랑

하얀 파도에 물거품으로 부서지는
작은 헤어짐에도

아픈 맘 안으로 새기며
하늘을 본다.

진정이 통하는 자연 속에서
말 없는 대화로 밀어(蜜語)를 나누며

이 밤도 숨죽여 그리는 사랑
내 마음속의 귀여운 만남

별처럼 소중한 빛발로
조용히 안겨드는 그대.

아름다운 인생

저녁 어스름에 마지막 햇빛이
휘황한 요사함을 기어이 버리고
달처럼 은은한 모습 조용히 웃음 진다.

이름 모를 소녀와의 싱그런 밀어(蜜語)
진실이 가져다준 소중한 사랑
저렇듯 정겨운 자취 우리를 위한 큰 미소

나를 버린 자리에서 새롭게 펴내는
당신을 위한 노래와 사랑
쉼 없는 환희가 되어 온 세상에 머무네.

마음의 평화를 찾은 생명의 안식
길지만은 않은 인생의 시간에서
간절히 이루어야 할 작은 꿈을 봅니다.

조그마한 화롯불 사나운 바람에도
잠시도 꺼지지 않는 참사랑
이제야 꽃으로 피는 아름다운 인생.

단풍

붉은 잎, 노란 잎
주황 잎이 만발한
단풍나무 사이로 걸어가고 싶어라.

형형색색 빛나는
가지가지 모양에
마음은 기쁨에 뛰놀고 싶어라.

떨어지는 그 시절이
새 삶의 기약이라지만

단풍이
내 마음에 주고 간 기쁨은
가지가지 보랏빛 꿈이었더라.

오늘은 어제 죽은 사람이 그렇게 바라던 한 날이 시작된 기쁜 날입니다. 하나님께서 숨 쉴 수 있게 하셨기에 오늘 하루도 내가 살아갈 수 있습니다.
하나님께서 살아가도록 주신 목숨을 가지고 기뻐하며 기도하고 감사하며 살아야 합니다.

산다는 것을 느끼며

서럽도록 가슴이 아픈 날은
실컷 하늘을 비웃을 일이다.

손을 높이 치켜들며
삿대질해야 한다.

태어난 자체만으로
삶을 고통받아야 한다.

자신의 모습이 미치도록 보기 싫을 때
과감히 자신을 숨길 일이다.

모든 일상에서 탈출하여
잠잠한 침묵 속에서

호젓한 생을 추억하며
눈마저 감아야 한다.

내 옆 사람의 하는 일들이
무척 마음에 들지 않더라도
스스로 자신을 세우지 못함에
나 자신만을 탓할 일이다.

지나간 일마저 그리워지면
곱게 옛날로 돌아가야 한다.

이 밤 뭇별도 잠들어 조용한데
대지를 가르는 흰 사자처럼
고독을 횡으로 잘라
내가 자란 빈자리에 차곡차곡 쌓아야 한다.

묵혀둔 고독의 익어가는 냄새를
가슴속으로 가득히 담아

하늘이 시퍼렇게 푸르른 날에
비처럼 우박처럼 쏟아지도록

먼 산꼭대기로 내던져
한껏 외로움을 타야 한다.

자신만의 넋두리로 끝나버리는
내 가슴 속 빈 이야기

이렇게라도 대지에 뿌리면
내 가슴은 조금이나 풀어질거나

혹시나 지나가던 새 한 마리가
부스스 잠 깬 눈으로 뒤돌아본다.

사람 속에 사는 연약한 삶이
갈수록 인간성에 실망을 받아

언제 어느 곳에 서 있더라도
아쉬운 마음 애절한 소망

나만이라도 라는 윤리적 명제가
더 있어야 하나 더욱 서글픈 인생

인간이기에 용서해야 하고
인간이기에 그럴 수 없는

산다는 것을 느낀다.
갈수록 둥글게 돌아가는 세상에서

나를 최고의 작품으로 만드시고 누가 뭐라 해도 너는 나의 자녀라고 부르시며 기쁨으로 즐거워하시는 하나님으로 말미암아 나는 사는 것이 즐겁습니다. 내가 헐벗어도, 못 먹어도, 불구가 되어도, 다치더라도, 남에게 손가락질당해도, 전능하신 하나님께서 나와 함께하시고, 나를 기뻐하시고, 나를 잠잠히 사랑하신다는 사실에 나는 무척이나 살맛이 납니다.

두고 온 고향의 봄

진달래 곱게 핀 약산 그 기슭에
옹기종기 둘러앉은 초라한 초가 마을
그곳을 차마 못 잊어 꿈에나마 가고지고.

개나리 울타리에 흐드러진 꽃 자취
술래 놀던 정든 친구 정다운 말소리가
왜 이리 메아리 되어 자나 깨나 울어대나?

그리운 그 산하 보고 싶은 그 친구들
변함없는 자연 속에 흔적 없는 내 고향
이제야 부르는 노래 애간장만 더 태운다.

언뜻언뜻 비취는 고향 땅 꽃소식에
갈수록 새록새록 돋아는 그 사랑
오늘도 어린 애되어 그 속에서 뒹굴고자.

나를 최고의 걸작품으로 만드시고 어떤 처지에서도 나를 사랑하시는 하나님, 나로 인하여 즐거워하시는 하나님으로 말미암아 나는 오히려 몸 둘 바 모르게 행복합니다. 그래서 나는 오늘도 하나님으로 인해 욕심을 버립니다.

사회적 아픔을 내 것으로 하는 기쁨

내 몸에는 세포가 있어
자꾸 시간의 여행을 떠나고 있다.

민주라는 주인에게 얽매이기 싫어
내쉬는 소리
거칠 것 없이 퍼져 가는 여운

그 끝에는 아픔
내 노래는 서러운 침묵으로 가고
자유라는 주인은 손짓하는데

끝없는 사회
움직이는 세포가 옮겨주는 아픔의 침묵
고통 가운데 피어나는 보라색 소망

가야 하네
기쁨이 슬픔이 된 민주의 싸움터로
독재를 깨뜨리는 더 큰 독재의 사슬

사회적 아픔을
내 것으로 하는 기쁨

오, 이 기쁨의 자유로
두서없는 고백은 부릅뜬 눈을 녹이고
향기 어린 회개는 악한 손을 물리치는데

내 작은 노래는 나를 깨운다.
안정으로 펴지는 나를 깨운다.

가치관이란 단어를 쉽게 풀이하자면 옳은 것, 바람직한 것, 해야 할 것 또는 하지 말아야 할 것에 관한 일반적인 생각을 말합니다. 무엇에 가치를 두느냐, 무엇을 중요하게 생각하느냐에 따라 행동하는 바가 달라집니다.
돈을 중요시하는 사람은 돈 버는 방법에 목말라 있고, 돈을 지키는데 힘을 쏟고, 사람들과 나누는 화제도 주로 돈에 관한 것입니다. 운동을 좋아하는 사람은 경기장을 찾아다니고, 체육관을 이용하고, 운동선수들을 잘 압니다. 동물에 관심이 있는 사람들은 같은 길로 다녀도 동물병원을 눈여겨봅니다.
지금 부유하고 행복하게 산다 하더라도 죽은 후 지옥에서 영원한 고통을 당한다면 가치 있는 삶을 산 것이 아닙니다. 지금은 견딜 수 없이 힘들지라도 영원한 천국을 바라보며 사는 것이 가치 있는 삶입니다. 우리가 가치 있는 삶을 살려면 육신을 입고 사는 현재에 급급할 것이 아니라 영원히 사는 영혼의 때를 염두에 두고 하나님의 말씀대로 살아야 합니다.

사막이 잃어버린 노래

장미가 피는 곳에는
장미의 삶이 숨 쉬고 있었다.

나지막한 잎새 사이에서도
매몰찬 가시의 항의는 이 자리를 미워했었다.

아름다운 무의식의 광장
어린 왕자는
사막에서도 고통을 볼 수는 없었다.

그 사랑의 빈터
나는 사모하는 마음으로
어린 왕자를 길들이지만

그가 부르는 작디작은 노래마저
번개처럼 시들어버린다.

낯선 곳으로 밀려가는 바람
한(恨)으로 얽혀있는 말들

고향의 친구들은
도시의 포로가 되고

자유로운 사랑
뜨거운 자유는 사막을 태운다.

잃어버린 노래
사막에게 되살려주는 그리움의 흔적.

포도밭에 나온 일꾼들도 여러 군데서 일거리를 찾다가 시간만 보낸 사람들일 가능성이 큽니다. 저녁이 다 되도록 일거리를 찾지 못한 사람의 마음이 얼마나 다급할지 짐작이 갑니다. 제가 그런 처지에 놓였다고 생각해보니 늦게나마 일거리를 찾았을 때 생기는 기쁨이 얼마나 클지 전해집니다.
천국도 이와 마찬가지입니다. 모태신앙으로 어려서부터 신앙생활한 사람도 있고, 젊어서, 나이 들어서, 여러 환경에서 각기 다양하게 신앙의 길을 걷는 사람들이 있습니다.
일찍 온 이든 나중에 온 이든 천국으로 가는 길은 같습니다.
늦은 오후 시간일지라도 나를 버리지 않고 불러서 내게 하루 먹을 양식을 준 주인에게 감사합니다. 내 힘으로는 일거리를 얻을 수 없는데, 다른 사람들은 나를 뽑아 주지 않았는데, 내 모습으로는 주님 앞에 나아갈 수 없는데, 내 사정 아시고 아들 예수 그리스도를 보내셔서 내 죄를 담당하고 죽게 하셔서 구원해 주신 주님 앞에 감사뿐입니다.

역사에 부쳐

지구가 상실한 시대에는
꿈과 이념이 어우러진 동산이 자리하고 있었다.
노래가 퍼져 가는 아침
새들도 웃을 수밖에 없는 사랑이 가득한 역사
그 안에서 피가 숨 쉬고 있나.

사랑이 식어간 지구에는
역사가 서럽게 한 발자국씩 물들어간다.
구호로 피어난 정오의 광란(狂亂)
하늘과 땅이 빚어내는 고통에 잠들고만 싶어
길게 보이는 그에게 피를 보여줄까?

진리가 되살아난 그 날을 찾아
맞잡은 손으로 하늘을 쳐다본다.
참이 미소짓는 저녁나절의 망중한(忙中閑)
그곳에 뛰어갈 모든 이에게
자유의 동산, 사랑의 낙원을
보여주는 시작의 시작

보이지 않는 깊음에서 솟아오르는
바알간 희망
역사가 가르치는 한스러움이
이제야 아프게 웃음 되고 말아
나는 가련다. 그 세계로
손을, 발을, 가슴을 하나로 하나로 갑니다.

그저 되는 일은 하나도 없습니다. 누군가 흘린 수고의 땀방울이 묻어 있습니다. 하나님의 사랑하심이 있고, 사랑받은 성도들의 피땀이 녹아 있습니다. 오늘날 우리 주변을 돌아보면 그저 편하게 신앙생활 하려는 사람들이 보입니다. 힘들고 어려운 상황에서도 믿음을 지키고 충성한 신앙 선배들과 비교해 볼 때, 그렇게 편히 살다가 과연 하늘에 상이 있을까 염려됩니다.

주일에 식당에서 설거지하면서도 기뻐하고, 전도하면서도 기뻐하고, 남에게 핍박받으면서도 기뻐했습니다. 주님 일이라면 무엇이라도 기뻐하면서 감당한 선배들이 있었고, 그들의 피땀 어린 발자취를 따라 우리 교회가 커 왔습니다.

요즘 "교회에 충성할 사람이 부족하다" 라는 말을 들으면 마음이 아픕니다. 무엇 하나 변변히 갖춰진 것 없어도 주의 일을 감당했는데, 이렇게 좋은 환경에서 충성할 사람이 없다면 주님이 얼마나 마음 아프실까 생각합니다. 또 말세가 가까이 다가왔고 때가 악하다는 사실을 절실히 느낍니다.

별의 왕자에게

그곳에 가는 길은
멀리 뻗은 신작로라도 괜찮다.
내가 가는 사랑의 걸음
힘든 고통을 지고 터벅터벅 걸어 쉼 없이 간다고 해도
멀어져가는 희망
별의 왕자에게 써 보는 그리움

참다움이 살아 있는
미지의 지방으로 길을 떠날 때
행복은 부끄러움 위에 숨어 있더라도
안타까움 실은 발걸음은 조금씩 조금씩
진리를 부르는 외침
별의 왕자에게 이르도록 목메는 아픔

하얀 세계에서는
온 누리가 붉지는 않을 거야
삶이 기쁨이 되는 별 이야기를
오늘도 가꾸어가며
나지막하게 불러보는 별의 왕자여

마음이 갈라지는 헤어짐의 시간
날이 버림받지 않는
눈물의 숱한 서러움이 되어
왕자에게 밀려드는
사랑이 서려 있는 그 나라에
두 손 들고 맞이하는 우리네 꿈들

별의 왕자에게
쉼 없이 사랑을 보내며
되돌아오는 희망을 함빡 마셔 보기를.

주님은 우리를 지옥으로 끌고 가는 죄의 문제를 해결하시고자 이 땅에 육신을 입고 오셨습니다. 피 흘림 없이는 죄 사함이 없기에, 우리 죄를 담당하시려고 죄 없는 하나님의 아들이 차마 형용할 수 없는 고난을 겪으시고 십자가에 매달려 피 흘려 돌아가셨습니다.
그러나 죄 없는 예수 그리스도는 사망 권세를 이기시고 사흘 만에 부활하셨습니다. 그리고 우리의 영원한 구세주가 되셨습니다.

시간여행

현대를 넘어가는 멍에
시간은 역사를 등에 지고 긴 여행을 보낸다.
안으로 파고드는 주제의식
깊어가는 의문의 파도를 타고
내 발자취 과거를 휘젓는다.

더러움에 찌든 나를 씻고
참다운 위함의 고향에
선의 깃대를 쳐들고 노래하는 발걸음

늙고 병든 역사의 잔해를 태우고
의로운 새 삶의 터를
내 앞에서부터 가꾸어가는 길
여행은 기쁨이 뒤얽혀 번져가는 사랑
훔쳐 빼긴 아름다움을 심으며

시간 속에 아무런 갈 곳 없이
떠나온 여행이지만
아침에는 해를 벗 삼고 구름과 이야기 나누며
저녁에는 노을을 그리며 하늘과 어울려

모두가 즐기는 이상의 동산
꿈속에 보이는 나라를 바라는 여행
발걸음도 힘차게 땅을 밟고
우러르는 역사
번지는 시간 속에 꽃 되어 열매 맺는
사랑의 나그네.

기독교는 부활의 신앙입니다. 다른 이방 종교의 교주는 모두 죽었지만, 우리가 믿는 예수 그리스도는 지금도 살아 계시기에 우리의 믿음이 되십니다. 그는 인류의 죄를 대신 짊어지셨기에 십자가에 못 박혀 피 흘려 돌아가셨고, 죄 없는 하나님의 아들이시기에 사망 권세를 이기고 죽음에서 살아나셨습니다. 그분은 지금도 살아 역사하시기에 우리의 기도를 다 들으시고, 전지전능하신 하나님의 아들이시기에 제한 없이 응답해 주십니다.
죗값으로 영원히 피치 못할 지옥 형벌에서 구원해 주신 주님께 감사합니다. 내가 힘들고 어려울 때 기도하게 하셔서 그 응답으로 마귀 역사를 이길 힘을 주신 주님께 감사합니다. 앞으로 닥칠 수많은 문제도 기도로 미리 막아 주신 주님께 감사합니다. 또 나만 천국 갈 것이 아니라 일가친척, 이웃 주민을 초청해 함께 구원받아 천국 가도록 우리를 선한 도구로 써 주신 주님께 감사합니다.

시간의 의미

내게 다가오는 시간은
희망으로 춤을 추며 휘파람 부는데
조그맣게 꺼져가는 지나 가버린 추억

의미로도 그려볼 수가 없어
눈물로 아파해도
하늘을 적시는 어둠
시간은 서럽게 울며 지샌다.

내가 선택한 그였지만
나로 인해 변해버린 그 안의 나
이제 다시 시작해 꺼진 바램 피우려
이 밤도 해바라기 맴을 돈다.

누구에게 하소연할까?
누가 들어줄까?

침묵을 알아버린 그에게
죽음을 뛰어넘는 의지로
이제 가련다, 나의 길을

시간이 가르쳐 준 삶
내 삶에 이르는 지나쳐버린 시간
의미로 부활한 그에게
내 노래를 전한다.

조용히 거리를 걸어간다.
시간도 따라서 말이 없다.
허깨비 쫓아 달려온 세월이 무서워
이제 내 안으로 가는 걸음
내가 그 걸음을 듣는다.

무엇이 되기보다는
어떻게 하루를 살아갈 것인가?
선한 가치를 내 주변에서부터
이름 없이 빛도 없이 찾아가는 시간
그 시간마저 잊을 것이다.

지금의 나 된 것은 모두 주님의 은혜입니다. 내 모습을 이대로 받으시는 주님 때문에 감사합니다. 내가 약하고, 힘없고, 병들고, 의지할 곳 없을 때 나를 안아 주시고 길과 진리가 되셔서 지금까지 인도해 주신 주님께 감사하지 않을 수 없습니다. 나를 부하게도, 가난하게도 하지 않으시고 예수 믿을 수 있는 지금의 나로 만들어 주신 것에 감사가 밀려옵니다.

그 바다로 가자

꿈이 퍼렇게 살아 뛰어다니는
그 물결 위에
내 뜨거운 마음을 던져
헤엄쳐 부활하자.
어서 가보자.

자연만이 아름답기에
인간을 잃어버린 하늘을 베개 삼아
식어가는 푸르름을 삼키고
커다란 햇무리로 어우러지는
멀어져 가는 그곳
바다로 달려가자.

새가 운다.
고향의 울부짖음이 고기와 맴돌며
이제는 오겠지 노래하는
내 본연의 마음 터
그리움이 깊어가는 바다
그 시원(始原)의 골짜기에
한스러운 몸을 던져
그 바다로 뛰어가자.

새로움이 솟아 나오는 흰 물결.
태양과 달이 지어주는
아름다운 자랑
꿈이 익어가는 그 바다로 가자.

지금 내가 가진 것으로 감사하면 행복합니다. 걱정할 일이 생기더라도 기도를 들으시고 가장 좋을 때 가장 좋은 방법으로 해결해 주실 하나님이 계신다는 믿음이 있기에 행복합니다.
내 힘으로 세상을 살아가려고 하면 힘들지만, 나를 책임져 주시는 하나님으로 말미암아 감사하며 살 수 있습니다.

어떤 이는 세상살이가 어렵고 힘들다고 합니다. 그럴수록 우리는 기도하니 감사하고 행복합니다.
또 다른 이는 세상이 평안하고 잘되어간다고 합니다. 그럴 때도 우리는 기도하니 감사하고 행복합니다. 범사에 감사하면 우리는 늘 기도할 수 있고 늘 행복할 수 있습니다.

지금 이 시대에 내가 예수 믿고 살아가니 감사하고 나라와 민족이 어려울 때 내가 기도할 수 있어 감사하고, 내가 힘들어도 응답하실 주님을 보며 감사하고
내가 잘했을 때 할 힘을 주신 하나님께 감사하면 내 삶이 범사에 감사하며 행복하게 살 수 있습니다.
우리 모두 범사에 감사하여 행복한 인생을 살기를 소망합니다.

끝없이 가는 마음

마음이 돌아오기를 빕니다.
어디로 갔을까요?
본시 없는 것인데.

눈을 감고 누군가를 떠올립니다.
무엇을 볼 수 있을까요?
이름할 수 없는 그대 전부

내가 눈을 감고
그대가 눈을 감고
무슨 선택이 필요합니까?

욕심이 무엇입니까?
생사(生死)가 호흡 간인데
우리를 슬퍼합니다.

즐거운 여행길

생활에 자신을 잃어가게 되어
무언가 즐거운 일을 찾고자 한다.
자꾸 뭔가 새로운 것을 찾지만
욕망의 한계는 없어
그저 찰나적 환영만 하게 된다.

내 마음을 찾고 싶다.
보여줄 수 없는,
잡을 수도 없는 그 작은 실체를.

규정하는 잘못은 그만두고
그저 긍정의 눈으로 사물을 보자.
모두 착한 이웃이라 여기자
그저 긍정의 눈으로 사물을 보자.
모두 착한 이웃이라 여기자.
내가 먼저 착한 이웃이 되어
조금 손해를 볼 것이다.

그때는 푸른 하늘을 쳐다보고
이미 하늘로 가버린 사람들을 떠올리자.

변해가는 세계에서 영원한 것은
지금 내가 그와 함께한다는 것.
이해하려고 노력도 말자.
내가 그가 되고, 다시 나를 보아야 한다.

생활에 자신이 생기지 않아
면 미래를 그릴 수 없다고 좌절하지 말자.
오늘 내게 주어진 길을
기쁨으로 성실하게 채워갈 때
작은 날들이 모여
인생(人生)의 강은 흐르게 된다.

이리저리 자갈길을 헤쳐서
망망한 바닷속에 안주한다.
그 여행길을 즐길 일이다.

만나는 자갈들과
짧지만 대화도 나누고
서로 노래도 부르고

자신이라는 단어를
그 규정을 버리자.
지금 선 모습으로 만족하고 걷자.

커가면서

영웅을 찾아
어릴 적 놀던 동산

그 동산도 변해가고
내 몸도 그만큼 커간다.

이제는 맡은 곳에서
언제나 충실한 사람.

턱없이 교만했던
어릴 적 삶의 태도

세월이 변해가고
정신도 그만큼 성숙해

비로소 도가 튼 듯한
언제나 겸손한 사람

내게 주어진 분량(分量)

젊은이에게는 그 나름대로 이상이 있고
추진력 있게 밀고 나가야 한다.
전 인류공동체에
내가 맡은 분량을 해야 한다.
내가 태어나 자라는 동안
나에게 책임져진 그 모든 일을
즐겁게 이루어야 한다.

찰나적 즐거움은 버리자.
육신의 쾌락도 포기하고
경건한 삶의 가치 그 속으로 담대하게.
인류는 새 세대로 말미암아
더 좋은 세계로 나가야 한다.
갈수록 더욱 살기 좋은 세계가 되어야 한다.

내게 주어진 소명이 무엇인가?
누구나 그 재능이 다르고
여건이 다르고 본성이 다르다.
그때 우리에게 가능한 유일한 길은
내가 지금 하는 일에
즐거움을 느끼고 있는가?
그 즐거움은 보람이어야 한다.

하루를 기쁘게 마칠 수 있는 일로써
나를 나답게 표현하면 그뿐이다.
내가 그만큼의 존재의 가치를 누리고
내가 하는 역할에 충실할 때
나로 인해 비는 공간은 없을 것이다.

즐거움은 보다 커지게 된다.
사람에 따라서
그때는 본성에 충실할 것이다.
힘들더라도 선택한 길에
자신이 책임을 져야 한다.

기독교는 고난의 종교입니다. 세상 임금 마귀는 예수님을 알고 믿고 말씀대로 살아 천국에 가려는 성도들을 가만두지 않습니다. 세상 명예, 돈, 권력 그리고 약점을 이용해 죄를 짓게 하고 세상을 좋아하게 하고, 그것을 반대하는 교회를 핍박의 도구로 사용합니다. 하지만 마귀 유혹을 알지 못해 따라가는 교회는 핍박하지 않습니다. 어차피 마귀의 손안에 있기 때문입니다.
고난을 우리에게 잠시 오는 과정이라 생각하는 사람은 힘들어하지 않습니다. 고난의 대가를 확실히 믿기 때문입니다. 한평생 먹고사는 일에도 새벽같이 나가고 무수한 욕을 먹으면서도 참는데 영원한 천국 가는 길에 당하는 어려움은 능히 이겨야만 합니다. 그만큼 가치가 있기 때문입니다.

더욱 본질적인 가치(價値)

무엇이 되고자 하는 사람보다
어떻게 사는 사람이 될 것인가?

내 인생의 가치관을, 꿈을 거기에 두어야 한다.
너무도 창창한 인생(人生)
무언가가 되기에는 너무도 큰 현재(現在)

다양한 가치가 지배하는
다양한 사람이 되어
더욱 본질적인 가치
어떻게 사는 사람이 될 것인가?

말이 앞서는 사람이 많다.
그때 그 사람은 어떤 생각으로
그런 말을 한 것인가?

내가 그 사람이 되지 못할 것
그것으로 이해하자.

시간과 상황이 변해가면 생각도 변해가기 마련

너무도 다양한 사회
나를 획일적으로 규정하지는 말자.

내 모습을 늘 가꾸어 나가자.
어제보다 나은 사람
아니 어제와는 다른 사람

무엇이 낫다는
가치판단은 이제 보류하자.

더욱 본질적인 가치
어떻게 사는 사람이 될 것인가?

어느 책에서 "사막이 아름다운 것은 어딘가에 오아시스가 숨어 있기 때문"이라고 말했다. 우리 성도들에게 세상이 아름다운 것은 주님께서 우리를 구원해 주시려고 십자가에 못 박혀 피 흘려 돌아가시고 구원해 주셨기 때문이다.
주님 덕분에 구원의 기쁨을 누린다. 그 구원의 기쁨으로 말미암아 "네 이웃을 네 몸과 같이 사랑하라"라는 주님 말씀 따라, 수많은 성도가 보이지 않는 곳에서 이웃을 섬기고 주변을 돌아본다. 소외되기 쉬운 장애인에게 관심을 쏟고, 찾는 이 적은 홀몸노인, 한 부모 가정, 소년소녀가장 등 어려운 이들을 내 형제, 내 이웃으로 여기며 섬긴다.

단순한 느낌

나와 함께한 사람에게
충실한 의미가 된다는 것은
무엇인가?

그를 기쁘게 해 준다는 것은
도대체 어떤 것인가?

그의 말 한마디에
무수한 상상력을 발휘해 만들어낸 결론

그 허황한 진실을 믿지는 말자.
그저 단순한 느낌을 맛보자.

함께 있다는 사실 하나만으로
기쁠 수 있다면 그것으로 충분한 것

상대를 위한다는 마음이
온몸으로 느껴질 수 있듯이
그렇게 은근히 사랑할 것이다.

소박한 꿈

꿈을 갖고 산다는 것은
마음속 복잡한 길 여행에서
이정표를 보며 간다는 것이다.

비록 길가에서 노중(路中)에서 어려운 일을 만나더라도
줄기차게 그 아름다운 꿈을 향해
한 걸음 한 걸음 나갈 수 있다는 것은
마음에 주는 위안으로 될 수 있다.

쉽게 비켜나가는 삶이 아닌
더욱 진지한 부닥침
그러나 도피해가는 탐구가 아닌
더욱 건전한 만남을 위해

진리로 살아가는 세상에서
상대적 진리로 합리화하는 내가 아닌
절대적 진리로 넘어져야 할 것인가?

소박한 꿈을 미워하진 말자.
그러나 거기에 매달려서도 안 된다.

살아가는 매일 매일 속에서
더욱 선해지길 꿈꾼다는 것은
어려운 일일까?

시대적 진리를 배반한다면….
그 시대가 요구하는 삶을 살아야 하는데
거기에서 탈락하는 모습이 된다.

뒤돌아보아 후회 없는 삶
진정 어려운 명제다, 누구에게나.

마음에 가득한 평화
어디서나 들을 수 있는 말이지만
그걸 실천하는 길이 그렇게나 멀기에
인생(人生)은 함부로 말할 수 없는 것

이제
자꾸만 내 안으로 향하는 꿈을 키우자.

함께 노래하는
작은 평화를 마시자.

작은 평화(平和)

뭔가를 이뤄보겠다는 젊은이의 피가
끓는 정열이 이 세계를 데워왔다.

차가워진 이성(理性)으로 빚은
조각된 세계에
꿈으로 피어나는 붉은 장미.

그 아름다움을 언제까지 가져야 하나?
언제까지 가질 수 있나?

늘 새로운 세대
늘 새로운 사회

시간과 함께 걸어갈 우리네 삶에서
새로운 단어는 과연 무엇일까?

나도 그때는 저러했는데
지금은 뭔가

작은 회한(悔恨)을 뒤로 남긴 채
조용히 잠기는 작은 평화

허공을 보며 지긋한 시선(視線)
용케도 지금껏 살아왔구나
살아남은 자로서의 은은한 미소

나름의 자로 재보는 세상에서
밀리듯 살아온 날들.

나를 찾지 못하고 방황했던 나날.
언제까지 갈 것인가.

내게 남은 것은 무엇인가?
내가 할 수 있는 일이란

역사의 한 모퉁이에서 조그만 돌을 쌓아
우리 공동(共同)의 성이 무너지지 않기를 바라자.

그 안에 숨겨진 진실을 느끼자.
뭇 영혼의 작업으로 이뤄진 세상

삶을 성실하게 사는 이들을 부러워한다.
그로 인해 밝아오는 우리 사회임을
한시도 잊지 말자.

선한 사람이 더 많다는 세상
하지만 무엇이 더 선한가?

남모르게 봉사하는 사람이 있으므로
묵묵히 맡은 바 자리에서 조용히 사는 대중(大衆)들

우리를 일깨우는 것은 누구인가?
깨달은 대중인가, 인기 노린 선동가인가?
출세를 은폐한 자기 과시인가

오늘도 나는 빈 거리에서
하루를 그저 밥 먹기 위해
지내는 모습은 아닌가 하고 생각해본다.

나 하나
조금 나가서 내 가족들만의 안위(安慰)가
내 삶의 목표가 되어있다.

그 자잘한 삶에서조차 고독과 아픔을 느낀다면
그것은 너무 이기적 인생이 아닐까?

나를 만나는 이웃에게
폐가 되는 내 모습이라면 어떨까?

최소한 폐가 되지는 말아야지.
남이 나 때문에 울게 된다면 얼마나 슬플까?
남이 나 때문에 아파한다면 얼마나 슬플까?

가슴이 아프다.
나로 인한 아픔보다도 이웃의 아픔 때문에

사람이 사람일 수 있는 것은
남의 아픔을 자기의 아픔으로 느낄 수 있다는 데 있다.

주위에 보면 유난히 '일복' 많은 사람이 있습니다. 이들은 없는 일도 만들어서 하는 충성스러운 사람들입니다. 때로는 일에 치여 지쳐 보이기도 하지만, 일해 놓고 거두는 맛을 알기에 두 팔을 힘차게 걷어붙입니다. 또 일이 없으면 말 그대로 '일이 안 되는 것'을 아는 이들이기에 힘들어도 해냅니다.
늘 새로운 일을 찾는 사람들은 발전합니다. 더 좋은 세상을 만들고, 더 나은 미래를 건설하려고 새로운 무언가를 시도합니다. 물론 실패도 합니다. 하지만 실패한 만큼 경험이 쌓이고 내공이 되어 나중에는 예상치 못한 좋은 열매를 거두기도 합니다.
우리가 구원받고도 이 땅에 살아 있는 이유는 세상에서 예수님 모르고 살다가 지옥 가는 사람들에게 예수를 전해 주고 천국으로 보내기 위해서입니다. 교회에서 하는 모든 일은 영적인 일이요, 영혼 구원을 위한 것이니, 적극적으로 참여하여 하늘의 신령한 상을 받아 누리길 소망합니다. 일을 찾아서 하면 그만큼 열매가 큽니다.

그저 아름답다는 말 한마디로

내 안에 감춰진 이야기를
누군가에게 들려주고 싶다.
시린 가슴으로 살아온 날들.

결코, 험한 인생(人生)을 살았다고
고백할 수는 없지만
지금껏 살아온 날들에도 마디는 있어

뒤돌아보아, 너무 오만하지는 않은지.

나만으로 살아온 모습
나를 둘러싼 모두에게
의미 있는 존재가 되기보다는
그걸 좇아 헤매기보다는
내 안에서 조용히 침잠해야지.

밝고도 그윽한 시선으로 세상을 볼 때
세상은 내게 속삭인다,
살만한 세상이라고.

오아시스에는 꿈이 있다.
사막에 오아시스가 있기에 아름답듯이
사람에게 꿈이 있어 멋있는 것을

가슴 가득 뜨거움을 안고 살았다는
자기기만으로 오늘을 용서할 수 있을까?

무척 이기적이다.
자기에게 이익이 되지 않으면
모두에게 손가락질하며 내뱉는 말
너는 참 이기적이다.

그런 자신을 돌아보지 않는 우리가 밉다.
이렇게도 미운 세상에서
향기로운 마음을 느낄 때 그건 하나의 기적이다.

가끔은 기적을 만나고 싶다.
자기를 잃어가는 모습이
의미 있는 뭔가로 자기를 채워
자꾸만 만들어지는 기적

아름다운 세상을 향한
우리 꿈은 시들지 않는 꽃이다.

작은 천국

새벽공기를 마시며 길을 나선다.
희망찬 하루를 연다.

잠든 자를 뒤로하며 나온 걸음에
행여 작은 오만이라도 있으면 안 되리라.

그렇게도 밝은 날에
더 맑은 마음으로 맞는 하루

우리 가운데 이뤄지는
작은 천국

그 깊은 삶의 의미를 깨우며
만나는 이마다 즐거운 대화

웃는 얼굴로 보는 세상에서
기쁨을 찾으며
자잘한 아픔을 햇빛으로 녹인다.

이웃의 슬픔이 녹은 하늘
그 하늘을 우러르며
정성 어린 기원

나로 인해 누군가가 울지 않기를
나로 인해 누군가가 아프지 않기를

더 바랄 것 없는 행복에 겨워
옆 사람과 악수를 한다.

내가 만드는 행복이 진정인 것을
그 속에 작은 천국이 있다.

예수님께서는 "내가 곧 길이요 진리요 생명이니 나로 말미암지 않고는 아버지께로 올 자가 없느니라" 라고 말씀하셨습니다.
즉 하나님께 가는 길을 안내하는 내비게이션은 예수님이라는 뜻입니다.
성경의 모든 주제는 예수님입니다. 천국으로 인도하는 내비게이션도 예수님입니다. 모든 문제는 예수님으로만 풀 수 있습니다.
그리고 성경은 지도와 같습니다. 성경을 지도 삼고 보면서 목적지로 안내해 가는 하나님의 섭리를 아는 길은 예수님으로만 가능합니다.
모르는 길을 갈 때 지도를 보고 어느 방향으로 가는지 대강 짐작하면 훨씬 쉽게 목적지에 도달합니다.
마찬가지로 성경으로 하나님의 구원사역을 미리 알고 길이신 예수님을 따라가면 천국이라는 목적지에 편안히 갈 수 있습니다.

작가의 말

이 세상을 살아 숨 쉬고 있다는 그 하나만으로도
소망스러운 날들입니다.
작은 이 시집을 통해 더욱 살기 좋은 세상,
보람찬 생활, 소망스러운 삶이 되길 꿈꾸었지만
내가 나일 수 있는 것은 하늘과 땅 그리고 모든 이웃이
있으므로 가능하다는 사실을 더 잘 알 기회였습니다.
주제는 역시 소망입니다.
인간과 세계에 대해 믿음을 바탕으로 한 뜨거운 소망,
그 잔치에 모두를 부르고 싶습니다.
시는 세상을 보는 눈입니다.
따뜻한 마음으로 이웃을 보고 살기 좋은 세상을 꿈꾸며
희망을 시(詩)라는 형태로 노래하였습니다.
창조주 하나님을 기억하고 맡겨주신 달란트 유익을 남길
수 있기를 소망하며 시간이 날 때마다 시를 썼습니다.
갈고닦지 못한 게으름으로 인해 시가 매끄럽지 못하고
거친 표현이 있다면. 타산지석(他山之石)으로 삼는 계기가
되기를 바랍니다.
사랑스러운 가족과 친지, 나를 아는 모든 이에게
작은 평화와 기쁨을 주는 시가 되기를 기도하며
모든 감사와 영광을 하나님께만 올려 드립니다.